Poeta en Nueva York

Letras Hispánicas

Federico García Lorca

Poeta en Nueva York

Edición de María Clementa Millán

SEGUNDA EDICION

CATEDRA

LETRAS HISPANICAS

Ilustración de cubierta: Dibujo original
de García Lorca. Nueva York, 1929
Colección Fundación Federico García Lorca

© Herederos de Federico García Lorca
© De la introducción y notas: María Clementa Millán
Ediciones Cátedra, S. A., 1988
Josefa Valcárcel, 27. 28027 Madrid
Depósito legal: M. 31199-1988
ISBN: 84-376-0725-6
Printed in Spain
Impreso en Selecciones Gráficas
Carretera de Irún, km. 11,500 - Madrid

Índice

Federico García Lorca.

- New York - 1929 -

Introducción

A Juan y Clara

Palabras preliminares

Los poemas escritos por García Lorca en América entre 1929-1930, reunidos en su mayor parte bajo el título *Poeta en Nueva York*, fueron considerados por el autor como una de sus más importantes producciones literarias. A ellos dedicó el poeta mayor atención que a ninguna otra de sus creaciones, preocupado por encontrar una adecuada distribución, y por hacer llegar al gran público el contenido de sus versos. Esta especial atención explica las diferentes posibilidades de estructuración, barajadas entre 1930-1936, y sus repetidas conferencias sobre estos versos. La inesperada muerte del autor impidió que perfilara totalmente su obra, aunque el poemario que hoy conocemos presenta la suficiente entidad para poder enjuiciarlo desde un punto de vista interpretativo.

En las páginas que siguen abordamos los dos problemas centrales de esta obra, la no total resolución de sus versos, y el complejo mundo literario en ellos existente. El tratar conjuntamente estos aspectos es un elemento necesario para la comprensión de estos poemas, considerados tradicionalmente como una de las creaciones más crípticas del autor, y a cuya dificultad interpretativa hay que añadir el problema textual que los envuelve. En nuestra interpretación ambas facetas coinciden plenamente, ya que al acercarnos a sus versos nos hemos basado por igual en la resolución textual y en el análisis litera-

15

rio. Sin embargo, dada la complejidad de los problemas planteados, sólo nos referiremos, por límites de espacio, a sus aspectos más representativos, dejando para un escrito posterior el amplio tratamiento de los temas aquí esbozados.

En nuestro intento de ofrecer una edición de *Poeta en Nueva York* lo más completa posible, y de acuerdo con las intenciones de su autor en 1936, hemos incorporado por vez primera en una publicación de esta obra, las dieciocho ilustraciones fotográficas que, según los datos hoy conocidos, debían acompañar su texto. También hemos considerado el problema de la inclusión de «Amantes asesinados por una perdiz», señalada por su autor como perteneciente a este libro. Nuestra intención es llegar a la comprensión de estos poemas desde los distintos elementos que hoy conocemos, pretendiendo ser lo más objetivos posible en el tratamiento de estos datos. De ahí, que hayamos coordinado en las páginas siguientes, la fijación textual, el análisis literario y la explicación de sus versos (parafraseados en el «Apéndice» incluido al final del volumen), así como las ilustraciones fotográficas citadas. *Poeta en Nueva York* intenta aparecer aquí como una obra cercana, donde no en vano iba envuelto, más que en ningún otro de sus poemarios, el mundo íntimo de su autor.

* * *

Al acercarme con ánimo de exégesis al complejo mundo de *Poeta en Nueva York* quiero agradecer la ayuda de aquellas personas que, de un modo u otro, facilitaron mi aproximación a esta obra, como Rafael Lapesa, Juan Marichal y Stephen Gilman, quien guió mis pasos a través de estos versos. También quiero destacar la colaboración de la Fundación García Lorca, en especial de su Secretario Manuel Fernández Montesinos, así como las contribuciones previas de Mario Hernández y Francisco Bustos. Igualmente, me gustaría subrayar el trabajo de Patricia Aguirre y Fernando Muñoz, encargados de la elaboración y búsqueda de las ilustraciones fotográficas que aparecen en este volumen; y la labor realizada por Gustavo Domínguez, y, especialmente, por Manuel Bonsoms en la edición de esta obra.

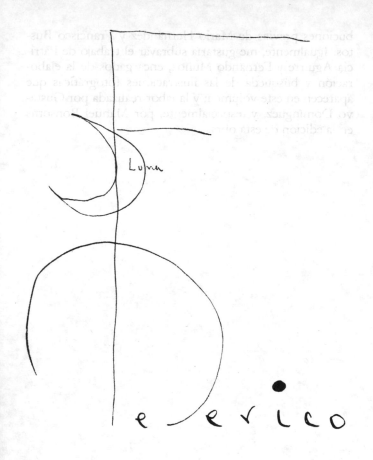

Historia textual de este poemario

Poeta en Nueva York tal vez sea la creación de García Lorca que mayores problemas textuales plantea, debido a un cúmulo de circunstancias. En primer lugar, a que es una obra póstuma, publicada por vez primera en 1940, cuyas páginas sufrieron indirectamente las consecuencias de la Guerra Civil española. Y en segundo término, al hecho de que haya desaparecido su manuscrito original. Por el contrario, se da el caso insólito de que existen «dos primeras» ediciones[1], aparecidas con apenas tres semanas de diferencia[2], que además no coinciden plenamente. Este estado de indefinición se agrava al haberse encontrado una lista manuscrita de Lorca, encabezada por el título de *Tierra y luna,* con varias de las composiciones adjudicadas tradicionalmente a *Poeta en Nueva York*[3]. Estos hechos,

---

[1] Estas ediciones son la bilingüe español-inglés de W. W. Norton, *The Poet in New York and other poems* (Nueva York, mayo de 1940) y la castellana de editorial Séneca, dirigida por José Bergamín, *Poeta en Nueva York* (México, junio de 1940).

[2] La edición Norton salió a la calle el 26 de mayo de 1940, aunque ya estaba preparada a primeros de este mes, mientras la de Séneca «Se acabó de imprimir el 15 de junio» de este año, como consta en su última página.

[3] Esta lista manuscrita de Lorca fue hallada por Eutimio Martín en el reverso de la composición neoyorquina «El niño Stanton», conteniendo los 17 poemas siguientes:

«Tierra y luna»
«Cielo vivo»
«Nocturno del hueco»

19

unidos a la propia indefinición de García Lorca con respecto a la distribución del corpus poético escrito en América entre 1929-30[4], han llevado a la crítica a realizar un minucioso análisis con el fin de obtener una edición más definitiva de *Poeta en Nueva York*[5].

El problema textual de este poemario saltó a las pági-

«Asesinado» (posteriormente llamado «Asesinato»)
«Templo del cielo» (posteriormente «Panorama ciego de Nueva York»)
«Pequeño poema infinito»
«Luna y panorama de los insectos (Poema de amor)»
«Muerte»
«Vaca»
«Encuentro» (después llamado «Canción de la muerte pequeña»)
«Ruina»
«Canción de las palomas»
«Vals en las ramas»
«Amarga»
«Paisaje con dos tumbas y un perro egipcio» (posteriormente «...asirio»)
«Toro y jazmín»
«Omega»

De estas composiciones, 10 formaban parte de las primeras ediciones de *Poeta en Nueva York*. Éstas eran «Cielo vivo», «Nocturno del hueco», «Asesinato», «Panorama ciego de Nueva York», «Luna y panorama de los insectos (Poema de amor)», «Muerte», «Vaca», «Ruina», «Vals en las ramas», y «Paisaje con dos tumbas y un perro asirio». De las siete creaciones restantes, tres fueron incluidas por García Lorca en 1934 en su libro, *Diván del Tamarit*: «Canción de las palomas», «Amarga», y «Toro y jazmín», publicadas, respectivamente, como «Casida de las palomas», «Gacela de la raíz amarga» y «Casida del sueño al aire libre». De las otras cuatro composiciones, tres aparecieron como poemas sueltos: «Tierra y luna», «Omega», y «Canción de la muerte pequeña», mientras «Pequeño poema infinito» fue añadido como apéndice al final de *Poeta en Nueva York*, en algunas ediciones de esta obra.

[4] El autor, entre 1930 y 1936, adjudicó diferentes títulos y distribuciones a estos poemas. Entre ellos, los de *Poemas para los muertos,* de 1931, e *Introducción a la muerte* de 1933 (sugerido por Pablo Neruda durante la estancia de Lorca en Buenos Aires) además de los más cercanos a la denominación última del libro, *La ciudad* (1931) y *Nueva York* (1930). Para un análisis detallado de esta evolución remitimos al completo artículo de Andrew A. Anderson, «The Evolution of García Lorca's Poetic Projects 1929-36 and the Textual Status of *Poeta en Nueva York*», *Bulletin of Hispanic Studies*, LX, 1983, págs. 225-231.

[5] En las páginas que siguen mencionamos únicamente los aspectos fundamentales de la historia textual de este poemario, señalando la crítica que los ha tratado con mayor exhaustividad. El hacerlo de otro modo exigiría una extensión de la que no disponemos en este escrito.

nas de la historia literaria en 1972, cuando se comenzó a dudar de que existiera una versión perfilada de *Poeta en Nueva York*[6]. El detonante de esta pregunta fue el hallazgo de la lista de *Tierra y luna,* que hizo volver los ojos hacia el poemario neoyorquino, hasta entonces sólo tratado de modo interpretativo sin reparar en los problemas textuales que presentaba[7]. A partir de este momento, se empezaron a revisar minuciosamente los pasos seguidos por

[6] Esta pregunta la hacía Eutimio Martín en su artículo, «¿Existe una versión definitiva de *Poeta en Nueva York* de Lorca?», *Ínsula,* 310, págs. 1 y 10.

[7] La aparición de este artículo (desarrollado posteriormente en su tesis doctoral de 1974, hoy inédita, *Contribution à l'ètude du cycle poétique newyorkais: 'Poeta en Nueva York', 'Tierra y luna' et autres poèmes. (Essai d'edition critique),* Universidad de Poitiers) desencadenó una polémica textual, hoy vigente, que ha sido tratada en numerosos escritos. Entre ellos los que a contiuación citamos, ordenados cronológicamente: P. Menarini, *Poeta en Nueva York, di Federico García Lorca. Lettura critica,* Florencia, La Nuova Italia, 1975; E. Martín, «*Tierra y luna:* ¿un libro adscrito abusivamente a *Poeta en Nueva York*», *Trece de nieve,* segunda época, 1-2 (dic. 1976) 125-31; D. Einsenberg, *Poeta en Nueva York: historia y problemas de un texto de Lorca,* Barcelona, Ariel, 1976; M. García Posada, reseña de D. Eisengerg, *Poeta en Nueva York...»,* Ínsula, 367, junio de 1977, 10; D. R. Harris, reseña de D. Eisenber, *Poeta en Nueva York...,* Bulletin of Hispanic Studies, LV, 1978, 169-70; M. Hernández, «Notas al texto: *Poeta en Nueva York*», en F. García Lorca, *Antología poética,* Madrid, Alce, 1978, 135-50; P. Menarini, «*Poeta en Nueva York* y *Tierra y luna:* dos libros aún "inéditos" de García Lorca», Lingua e Stile, XIII, 1978, 283-93; N. Dennis, «On the First Edition of Lorca's *Poeta en Nueva York*», Ottawa Hispanica, 1, 1979, 47-83; M. C. Millán, «Hacia un esclarecimiento de los poemas americanos de Federico García Lorca *(Poeta en Nueva York* y otros poemas)», Ínsula, núm. 431, págs. 1, 14 y 16 y núm. 434, pág. 2; A. A. Anderson, «Lorca's New York Poems: a Contribution to the Debate», Forum for Modern Language Studies, XVII, 1981, 256-70; A. Belamich, «*Poète a New York:* Notice», en F. García Lorca, Oeuvres complètes, París, Gallimard, 1981, vol. 1, 1461-1507; E. Martín, *F. García Lorca, Poeta en Nueva York. Tierra y Luna,* Barcelona, Ariel, 1981, 9-106; M. García Posada, *Lorca: interpretación de Poeta en Nueva York,* Madrid, Akal, 1981; M. García Posada, *Poeta en Nueva York* y *Tierra y luna»,* F. García Lorca, Poesía 2, Madrid, Akal, 1982, 710-38; A. A. Anderson, «The Evolution of García Lorca's Poetic Projects 1929-36 and the Textual Status of *Poeta en Nueva York*», Bulletin of Hispanic Studies, LXI, 1983, págs. 221-224; C. Maurer, «En torno a dos ediciones de *Poeta en Nueva York*», Revista Canadiense de Estudios Hispánicos, vol. IX, núm. 2, invierno, 1985; A. A. Anderson, «*Poeta en Nueva York* una y otra vez», Crotalón, núm. 2, 1986; M. C. Millán, «Sobre la escisión o no de *Poeta en Nueva York*», Crotalón, núm. 2, 1986; Mario Hernández, *F. García Lorca, Poeta en Nueva York,* Madrid, Fundación Banco Exterior, 1987.

estos poemas, así como los datos de que se podía disponer, antes y después de la muerte de Lorca. Con anterioridad a la muerte de Lorca, estos datos reseñados esquemáticamente, serían los siguientes: las diferentes opiniones del autor, recogidas en su conferencia-recital sobre *Poeta* (dada repetidamente por Lorca entre 1932-1935[8]) y en las entrevistas concedidas entre 1930 y 1936[9], así como la lista de *Tierra y luna,* a la que presumiblemente podríamos fechar entre finales de 1931 y octubre de 1933[10]. En el año 1936, poco antes de su último viaje a Granada[11], García Lorca entrega el original de *Poeta en Nueva York* a José Bergamín, director entonces de la editorial de la revista *Cruz y Raya.* Una nota de Lorca, «creo que volveré mañana», testifica esta entrega, aunque el encuentro personal no llegó a producirse. El poemario se

---

[8] Publicada íntegramente por Eutimio Martín, *Poeta en Nueva York. Tierra y luna, op. cit.,* págs. 303-319.

[9] Fundamentalmente las aparecidas en el *Heraldo de Madrid* (publicada íntegramente por E. Martín, *Triunfo,* 7 de julio de 1979, págs. 48-50), en *Luz* (Díaz Plaja, «García Lorca y su Nueva York», 28 diciembre 1932, pág. 3) y en *Mundo Gráfico* («Una conversación inédita con Federico García Lorca», realizada por Otero Seco en 1936, y publicada el 24 de febrero del año siguiente). La fecha de esta tercera entrevista, considerada la última realizada por el autor, no parece ser julio de 1936, sino enero de ese mismo año. Ver Mario Hernández, edición de *Yerma* (Madrid, Alianza, 1981) págs. 16-17, y *La Casa de Bernarda Alba* (Alianza, 1981) págs. 36-37. Para un análisis del contenido de estas entrevistas, ver nuestro artículo, «Sobre la escisión o no de *Poeta en Nueva York* de Federico García Lorca» ya citado.

[10] La fecha de esta lista, no fijada por Lorca, podría establecerse ente finales de 1931 y octubre de 1933. Para ello la crítica se ha basado en el hecho de que en el verano de 1931, Lorca escribe a Regino Sáinz de la Maza hablándole de unos *Poemas para los muertos* como obra independiente. Estas composiciones bien podrían identificarse con algunos de los poemas de la lista de *Tierra y luna,* por lo que dicho índice debería ser posterior al momento en que se escribió la carta (Mario Hernández, *Trece de nieve,* 1976, pág. 69). La fecha de octubre de 1933 se ha podido fijar porque en ella se publicaron dos composiciones de esta lista, «Encuentro» y «Canción de las palomas», ya con los títulos definitivos de «Canción de la muerte pequeña» y «Canción de las palomas oscuras», respectivamente, que no constaban en la lista. (E. Martín, *Poeta,* pág. 85; García Posada, *Lorca: Interpretación,* pág. 36).

[11] Hacia el 10 ó 12 de julio.

22

iba a publicar en la colección el Árbol de esta editorial —en la que ya se habían editado *Bodas de sangre* y el *Llanto por Ignacio Sánchez Mejías*— aunque en las prensas que Manuel Altolaguirre tenía en Madrid a la vuelta de su estancia en Inglaterra[12]. El estallido de la Guerra Civil y la muerte de Lorca impidieron este propósito.

Con posterioridad a su muerte, el original de *Poeta en Nueva York* sale de España hacia París en 1939 en la maleta de Pilar Sáenz de García Ascott, secretaria de Bergamín en la citada editorial. Meses más tarde, José Bergamín, nombrado presidente de la Junta de Cultura republicana, llega a méxico donde funda la editorial Séneca y la revista *España Peregrina,* exponentes culturales de esta Junta. En esta editorial se acabó de imprimir la primera edición en castellano de *Poeta en Nueva York*, en los talleres gráficos de la editorial Cultura, cumpliendo así la antigua «voluntad del poeta»[13]. Esta edición contenía una marcada intención política, expresada en los versos de Machado que la preceden y en el mismo prólogo de Bergamín[14]. Sin embargo, la versión de Séneca de esta obra no fue la única en aquellos años. En 1938 Guillermo de Torre sacó a la luz algunas de las creaciones de este poemario en el volumen VI de las *Obras completas* de Lorca[15],

[12] Sobre este aspecto, ver Daniel Eisenberg, *Poeta en Nueva York, op. cit.,* págs. 34-36, y Andrew A. Anderson, *«Poeta en Nueva York* una y otra vez», *op. cit.,* págs. 42-47. En este artículo, su autor describe minuciosamente el entorno que rodeó el proyecto de edición de esta obra, sobre el que Altolaguirre llegó a afirmar al comienzo de la Guerra Civil que estaba «en prensa».

[13] Palabras pertenecientes al prólogo redactado por Bergamín para la edición de esta obra, pág. 8.

[14] La composición de Machado es la titulada «El crimen fue en Granada», mientras el prólogo de Bergamín está escrito en un tono exaltado, denunciando «la traición cainita» de que fue objeto García Lorca.

[15] En total quince composiciones, cuyos títuos son los siguientes:

«Oda a Walt Whitman»
«Muerte»
«Ruina»
«Vaca»

que la editorial Losada estaba publicando en Buenos Aires, bajo la autorización de la familia García Lorca[16]. De Torre basó su edición en fuentes distintas al original de Bergamín, que reservó lo entregado por el poeta para su volumen de Séneca, «hasta ahora, en su total conjunto, inédito»[17]. No obstante, unas semanas antes de esta publicación, aparecía en la ciudad neoyorquina la otra primera edición, ya citada, de *Poeta en Nueva York*. Su aparición contaba con el beneplácito de Bergamín, que había mantenido su prólogo en este texto bilingüe (traducido al inglés por Rolfe Humphries) y para cuya publicación había enviado los materiales pertinentes.

Sin embargo, estas dos primeras ediciones, Norton y

«Oficina y denuncia»
«Oda al rey de Harlem»
«Niña ahogada en el pozo»
«Paisaje de la multitud que vomita»
«Iglesia abandonada»
«Poema doble del Lago Edem»
«Nocturno del hueco»
«Paisaje con dos tumbas y un perro asirio»
«Vals en las ramas»
«Ribera de 1910»
«Son»

Los tres últimos poemas no se publicaban como pertenecientes a esta obra, sino bajo la denominación de «poemas sueltos».

[16] La edición de Bergamín, y por tanto también la de Norton, apareció sin permiso de la familia García Lorca, que sólo autorizó la de Losada. Bergamín se creía con «derecho moral» a cumplir una antigua voluntad del poeta, y en su nombre, promovió estas ediciones. Sobre este punto, ver Daniel Eisenberg, *Poeta en Nueva York*, págs. 89-115, y Christopher Maurer, «En torno a dos ediciones de *Poeta en Nueva York*», *op. cit.*, págs. 251-56. Maurer revisa la correspondencia de Pedro Salinas a Bergamín en esa época (existente en *Papers of Pedro Salinas*, donados a la Universidad de Harvard por Jaime Salinas y Solita Salinas de Marichal) poniendo de relive las intenciones de Bergamín. Este se consideraba en el deber —«es nuestra obligación»— de realizar la «edición verdadera y cuidada de Federico» (carta del 27 de febrero de 1940). Ante este propósito, Salinas comenta con Jorge Guillén en otra carta, fechada el 16 de marzo de ese mismo año, «creo que hace mal» *(Papers of Jorge Guillén*, Houghton Library, Universidad de Harvard).

[17] Prólogo de Bergamín, edición Séneca, pág. 8.

Séneca, no coinciden plenamente. Este hecho ha llevado a la crítica a barajar diferentes posibilidades. La no total revisión por parte de Lorca del original entregado a Bergamín (lo que explicaría la diferente interpretación de los dos editores de un original no concluido[18]) y la alternativa de que las versiones Norton y Séneca surjan de fuentes distintas, dos copias diferentes del original, una realizada en París y otra en México[19].

Frente a esta confusa situación textual han surgido dentro de la crítica lorquiana dos tendencias opuestas. La que defiende la escisión del corpus neoyorquino en dos libros distintos, *Poeta en Nueva York* y *Tierra y luna,* y la que apoya la unidad de *Poeta,* basándose en lo que actualmente conocemos del original entregado a Bergamín[20]. Los datos objetivos hoy disponibles son interpretados por unos y otros de modo diferente. La conferencia-recital, la lista de *Tierra y luna,* y la no coincidencia de las ediciones Norton y Séneca, sirven de elementos esencia-

---

[18] Esta posibilidad llevó a parte de la crítica a pensar en un principio que no había existido original alguno (Eutimio Martín). Actualmente, su existencia es aceptada por la crítica lorquista dedicada a ese tema.

[19] Frente a esta alternativa, defendida por Eutimio Martín, Daniel Eisenberg piensa que lo enviado por Bergamín a Norton no fue una copia, sino el mismo original, *Poeta en Nueva York*, pág. 118.

[20] Entre las posturas más definidas en esta polémica, podríamos citar, como defensores de la escisión de estos poemas, a Eutimio Martín y a Miguel García Posada. En sus respectivos libros sobre *Poeta* de 1981, el primero realiza una edición crítica de *Poeta en Nueva York* y *Tierra y luna,* mientras el segundo autor hace un análisis literario de ambas obras, defendiendo su escisión, también desde un punto de vista interno. En 1982, García Posada publicaba su edición de estos poemas, dividiéndolos en los dos libros mencionados. Piero Menarini apoyó asimismo esta división en sus artículos, antes citados, de *Lingua e Stile* y *El país.*

Entre los defensores más claros de la no escisión de estos poemas se encontraría Daniel Eisenberg, con su libro de 1976, en contra de los argumentos defendidos por E. Martín en su tesis doctoral de 1975. Otros críticos también han sostenido esta postura, como Andrew A. Anderson, Christopher Maurer y María Clementa Millán, en los artículos sobre *Poeta en Nueva York* antes citados, así como Mario Hernández con su reciente edición de esta obra (1987) mencionada anteriormente.

les para la bipartición de estas creaciones[21]. Mientras, desde la postura contraria se considera que los dos primeros hechos, por su cronología (1932-35, la conferencia, y 1931-32, la lista) así como por su distinto sentido —una conferencia explicativa para el gran público frente a la significación de un complicado libro de poemas[22]— no reflejan las intenciones de Lorca en 1935-36, fecha en que fue elaborado el original de *Poeta en Nueva York*. Asimismo, se piensa que las diferencias entre las dos primeras ediciones no tienen la entidad suficiente para que lo que hoy podemos reconstruir del perdido original de este poemario[23] no sea aceptado como base de una edición.

La considerada última entrevista de Lorca, anteriormente citada, también es interpretada de forma distinta por ambas tendencias. Las palabras del autor sobre *Poeta,* ya «está terminado desde hace mucho tiempo... Tendrá

---

[21] La falta de coincidencia entre las ediciones Norton y Séneca ha sido considerada por estos autores como causa suficiente para no poder basar la edición de esta obra en el texto que de ellas se deriva. De ahí, que tomen como hilo conductor para la ordenación de estas composiciones la conferencia-recital dada por Lorca entre 1932-35. García Posada, en su edición de esta obra, precede cada uno de los apartados en que la divide de un párrafo extraído de esta conferencia.

[22] Sobre la identidad que se establece para la escisión de estas composiciones entre los poemas y la conferencia, se podrían hacer varias objecciones, que resumidas, serían las siguientes: 1) No conocemos el texto completo de la conferencia («sólo disponemos de veinticuatro de las cuarenta y una páginas numeradas en el manuscrito», E. Martín, *Poeta*, pág. 303). 2) En las ediciones realizadas siguiendo el texto de la conferencia no sólo se han incluido las composiociones mencionadas expresamente en este texto, sino las que, bajo un criterio subjetivo, podían tener continuidad o similitud temática con las allí citadas. 3) Desde una perspectiva de análisis literario, no pueden ser equiparables los significdicados de los poemas y la conferencia. Dado el ambiente de incomprensión con que había sido recibidas parte de las creaciones americanas del autor *(El público* y estos mismos poemas) la misión fundamental de esta conferencia parecía ser el dar la explicación más sencilla posible de unas creaciones altamente complejas. Sobre este aspecto, ver nuestro artículo «Sobre la escisión o no de *Poeta en Nueva York*», antes citado.

[23] Las diferencias entre las ediciones Norton y Séneca se recogen en el apartado siguiente, dedicado a «El original de García Lorca».

trescientas páginas, o algo más... Ya está puesto a máquina y creo que dentro de unos días lo entregaré. Llevará ilustraciones fotográficas y cinematográficas... es un libro sobrio en el que la parte social tiene una gran importancia», tienen diferente significación para cada una de estas posturas. Para los partidarios de la escisión, representa un punto de apoyo fundamental, ya que en esta entrevista se cita también el título de *Tierra y luna* como el de una futura obra, mientras que para los detractores de esta teoría arroja puntos de luz sobre las intenciones de Lorca en 1936. El autor describe *Poeta en Nueva York* en estas declaraciones como una obra extensa con ilustraciones, ya concluida y mecanografiada, mientras cita *Tierra y luna* como un futuro proyecto, aunque sin poseer ya la entidad que había reflejado la lista de 1931-33[24]. Tres de sus poemas habían sido trasvasados en 1934 por el mismo autor a su obra *Diván del Tamarit,* mientras otros diez habían pasado en 1935-36 a *Poeta en Nueva York,* según se puede deducir de lo publicado por Norton y Séneca[25].

Esta disparidad de juicios ha hecho que actualmente existan ediciones distintas de este poemario, dependiendo del criterio adoptado por el editor[26]. Sin embargo, las diferencias entre ellas afectan, más que al contenido de sus versos, a la ordenación y distribución de los poemas[27].

---

[24] La denominación hiperbólica de «trescientos poemas», utilizada por Lorca en esta entrevista de 1936, la había usado anteriormente el autor para designar el contenido de *Introducción a la muerte* (Proel, «Galería. Federico García Lorca», *La Voz*, Madrid, 18 de febrero de 1935). Esto demuestra que en este último año el autor ya había decidido agrupar sus poemas americanos, desechando, por tanto, la división esbozada en la lista de *Tierra y luna,* anterior a 1933. También ratifica que el proyecto de *Poeta en Nueva York,* sobre el que estaba basaba su conferencia (1932-35) no se correspondía con la mayor extensión del libro en 1936.

[25] Ver nota 3 de este mismo apartado.

[26] E. Martín y García Posada dividen los poemas en dos libros, mientras mantienen la unidad de la obra, Mario Hernández y la edición de Aguilar, realizada bajo la supervisión de Arturo del Hoyo.

[27] No obstante, también hay diferencias en los textos de las composiciones,

La edición que presentamos ofrece un texto de *Poeta en Nueva York* no dividido, basándonos en unos criterios defendidos con amplitud en otros escritos, y que se podrían resumir en los siguientes puntos:

1. Constancia de que el original de *Poeta en Nueva York*, más o menos terminado para su edición, fue entregado por Lorca a Bergamín en 1936.

2. Prioridad cronológica, que nos hace anteponer el texto elaborado por Lorca entre 1935-36, a las diferentes distribuciones de estos poemas, proyectadas por el autor en años anteriores.

3. Consideración no excesivamente negativa de las diferencias entre Norton y Séneca. Especialmente, si tenemos en cuenta las circunstancias de inmediata postguerra que rodearon la aparición de estas ediciones, y los materiales existentes en poder de Norton antes del envío de Bergamín, así como las publicaciones anteriores de algunos de estos poemas[28].

4. Fundamentos de orden interno a la propia obra, que hace difícilmente plausible la escisión de estas composiciones, como analizaremos al tratar del «mundo literario» de *Poeta en Nueva York*.

Esta postura de no escisión es tal vez la más apoyada actualmente por la crítica lorquista. Sin embargo, todavía hoy (a falta del original perdido) existen graves problemas pendientes, cuya resolución sólo será posible con la colaboración de esta crítica en su conjunto.

---

según se tomen como texto base: otros manuscritos de Lorca, anteriores a lo publicado por Norton o Séneca, y existentes sólo para algunos poemas (E. Martín); la edición Norton (García Posada y Mario Hernández) o la edición Séneca (Aguilar).

[28] Sobre estos dos aspectos, ver Daniel Eisenberg, págs. 54-55 y 57-58, y 139-159, respectivamente.

El original de García Lorca

El punto básico de la citada polémica sobre la fijación textual de *Poeta en Nueva York* es sin duda el original entregado por Lorca a Bergamín. Según testimonios de los que tuvieron acceso a él, no podía denominarse manuscrito, ya que estaba «casi todo él a máquina, algunas páginas a mano, y otras pocas de recorte de algún poema impreso y publicado; recuerdo exactamente uno de la *Revista de Occidente,* cuyo tipo de letra es inconfundible»[1]. Este original heterogéneo era, según Bergamín, el que Lorca «me confiaba para publicarlo, en la forma que ya anteriormente habíamos hablado; era, por su parte, el texto definitivo, y así se publicó por nosotros en Séneca, y por Norton». «Yo recuerdo que en Séneca se hicieron dos copias, una para Norton-Humphries y otra para utilizarla nosotros, para no tener que enviar el texto original a la imprenta»[2]. De estos documentos, actualmente sólo se conocen ocho páginas desgajadas del material enviado a Humphries para su traducción[3]. Éstas aparecen escritas a

---

[1] Carta de José Bergamín a Ian Gibson, 2 de abril de 1977, reproducida por Eutimio Martín, *Poeta en Nueva York. Tierra y luna, op. cit.,* págs. 20-21.

[2] Esta afirmación de Bergamín, como ya apuntamos en el apartado anterior, ha sido controvertida. Eutimio Martín mantiene la existencia de dos copias, creyendo en este punto las palabras de Bergamín, mientras Daniel Eisenberg rechaza esta posibilidad, afirmando que lo enviado a Norton y Humphries fue el mismo original.

[3] Estas páginas se encuentran en la biblioteca de Amherst College, EE.UU.

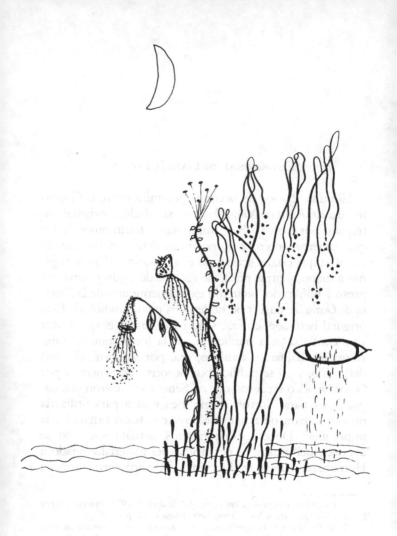

máquina y numeradas con lápiz rojo en el margen izquierdo por una mano distinta a la de García Lorca[4]. Son las siguientes:

p. 2 · · · POETA EN NUEVA YORK

p. 3 · · · DEDICADO A BEBÉ Y CARLOS MORLA.

p. 4 · · · Los Poemas de este libro están escritos en la ciudad de Nueva York, durante el año 1929-1930 en que el poeta vivió como estudiante en Columbia University.

p. 12 · · · (El poema numero 4 de esta seccion es el titulado RIBERA 1910, publicado en «HEROE». El nuevo titulo es ahora TU INFANCIA EN MENTON.)

p. 56 · · · El tercer poema de esta seccion, titulado PAISAJE CON DOS TUMBAS Y UN PERRO ASIRIO, lo tiene Altolaguirre[5].

p. 58 · · · El quinto poema de esta seccion es el titulado AMANTES ASESINADOS POR UNA PERDIZ y está en un núme-

---

(caja VIII, archivador 24 de los papeles de Humphries) adonde fueron donadas por Calvin Cannon, colega de Humphries. Eisenberg, *Poeta en Nueva York, op. cit.*, págs. 119-20.

[4] La grafía de la numeración es diferente, como puede verse claramente al compararla con autógrafos de Lorca. Su grafía es menos segura y el trazado de los números es distinto, no apareciendo normalmente rodeados de semicírculos.

[5] En esta hoja aparece escrito a mano «Nosotros tenemos!» con letra de Humphries.

ro de la revista «Dos» de
Valladolid[6].

p. 67 . . . El poema número tres de
esta parte se llama CRUCI-
FIXIÓN y hay que pedir el
original a Don Miguel Be-
nítez. Casa Fiat. Barcelona.

p. 80 . . . EL SEGUNDO VALS ES EL TI-
TULADO «VALS EN LAS RA-
MAS» QUE SE PUBLICÓ EN
«HÉROE».

Del contenido de estas hojas se pueden deducir varios
datos importantes que facilitan la comprensión del original entregado por Lorca. En primer lugar, el carácter no
totalmente perfilado de dicho original. Este material debía ser revisado y completado posteriormente por los
amigos de Lorca, Manuel Altolaguirre y José Bergamín,
impresor y editor respectivamente de la obra, y tal vez
por el propio autor, en el Madrid todavía anterior a la
Guerra Civil. En aquellas circunstancias, totalmente distintas a las que acompañaron su edición en 1940, no era
extraño que García Lorca hubiese entregado un original
de estas características, en especial cuando la edición iba
a ser hecha por personas tan versadas y cercanas al autor[7]. En aquel momento no era difícil conseguir los textos de los poemas aquí indicados, sobre todo cuando tres
de ellos eran fácilmente accesibles para Altolaguirre. Uno
ya estaba en su poder, «Paisaje con dos tumbas y un pe-

[6] La denominación correcta de esta publicación es *Ddooss*, revista vallisoleta-
na dirigida por Francisco Pino y José María Luelmo.

[7] El entregar para su edición un original tan heterogéneo como éste era ca-
ratecrístico de Lorca. Así lo hizo en la publicación de *Diván del Tamarit*. El autor
consideraba «terminados» los manuscritos y encargaba a amigos (Nadal, García
Gómez, Blanco Amor) la labor de finalizar los detalles. Andrew A. Anderson,
«Poeta en Nueva York. Una y otra vez», *op. cit.*, pág. 46. Esta característica de
Lorca coincide con las palabras de Bergamín, antes citadas, al afirmar que lo entregado por Lorca «era, por su parte, el texto definitivo».

rro asirio» (como indica una de las hojas) y los otros dos, «Tu infancia en Menton» y «Vals en las ramas», habían sido publicados en *Héroe,* revista también impresa por Altolaguirre[8].

Otro aspecto deducible de estas hojas es que fueron escritas en España, a excepción tal vez de la tercera (donde se explica el lugar en que fueron compuestos estos poemas) debido a la ausencia de tilde en la ñ, característica de un teclado no castellano. Pero el contenido de las restantes no tendría sentido si hubiera sido redactado en México por los editores de Séneca. Allí era casi imposible conseguir estas revistas de escasa tirada, y localizar en 1939-40, en la España de inmediata posguerra, a «Don Miguel Benítez. Casa Fiat, Barcelona». Descartada la procedencia mexicana de estos documentos, tampoco parece probable que hubieran sido redactados por los editores de *Cruz Roja,* dada la inminencia de la Guerra Civil[9] y la aclaración que aparece en la quinta hoja, «lo tiene Altolaguirre». Si éste iba a ser el impresor no tendría sentido que se hubiera dirigido a sí mismo esta nota. Sin embargo, sí lo tiene el que García Lorca lo mecanografiara o dictara al determinar las composiciones que debían formar parte de su nuevo libro *Poeta en Nueva York.*

---

[8] En las dos revistas de Altolaguirre de esos años, *Héroe* y *1.616. English and Spanish Poetry,* García Lorca había publicado numerosos poemas. En *Héroe,* núm. 1 (1932) «Vals en las ramas»; «Adán» y «Canción» (posteriormente «Casida en las palomas oscuras»), en *Héroe,* núm. 2 (1932); la «Casida del sueño al aire libre», sin título en núm. 5, y «Poema» (posteriormente «Gacela de la raíz amarga»), en el núm. 6 de esta revista; «Vals vienés», en *1.616. English and Spanish Poetry,* núm. 1 (1934); «Paisaje con dos tumbas y un perro asirio», en el núm. 7, y «Omega», en el núm. 8 de la misma revista. Daniel Eisenberg, *Poeta en Nueva York, op. cit.,* pág. 35.

[9] El último número de la revista *Cruz y Raya* fue el 39 (junio de 1936). Después de esta fecha no apareció tampoco ninguna edición del Árbol, mientras en las prensas de Altolaguirre lo elaborado inmediatamente antes de la Guerra Civil fue el número doble (5-6) de la revista de Neruda, *Caballo verde para la poesía.* Este ejemplar se encuentra hoy perdido por haber estallado la guerra antes de que se ofreciera al público. Andrew A. Anderson, «Poeta en Nueva York. Una y otra vez», *op. cit.,* pág. 47.

Esta obra, según se puede deducir de cinco de estas ocho hojas, estaba dividida en secciones; incluía dedicatorias, como la que encontramos en la hoja segunda, y contaba con una estructura más o menos perfilada, como se desprende de estas páginas, donde se especifica el lugar que deben ocupar los poemas dentro de cada sección, aunque no se determine su título. Por tanto, si estas hojas nos llevan a un original no totalmente concluido, también nos indican la autoría de Lorca en la estructuración de estas composiciones, su división en seccciones, y la inclusión de dedicatorias.

* * *

Otro documento que igualmente aclara el contenido del citado original es la «Nota del traductor» que Rolfe Humphries añadió a la edición Norton. En ella describe las características del texto que le fue enviado por Bergamín, no totalmente ortodoxo para servir de base a una edición. Su contenido original es el siguiente:

> «*The Poet un New York* came to me in typescript, not always perfectly clear, and at times declaring its own confusion. I have followed the typescript as closely as I could, sometimes when I was not too sure it made sense —who can always tell, in surrealist poetry?— but there are some instances when I have had to try to establish the text. This has not been easy, for the versions of the few published poems do not by any means coincide, Lorca seems to have been a quick reviser, and there is no principle of objective epigraphical logic that the scholar-by-necessity can apply to extremely subjective list stuff.
>
> I have been unable thus far to locate three poems which the poet, according to the typescript, intended to include in the collection. These are: a poem originally entitled «Ribera, 1910», later called «Tu infancia en

Menton», published in the review *Héroe,* and intended to be the fourth poem in the second section; a poem called «Amantes asesinados por una perdiz», from the review *Dos* (Valladolid), intended to be the fifth poem of section six; and a poem called «Crucifixión», in the possession of Don Miguel Benítez, at Casa Fiat, in Barcelona, intended to be the third poem of section seven. On the other hand, the present collection includes two poems, «Paisaje con dos tumbas y un perro asirio», and «Vals en las Ramas» lacking in the typescript; and it should be emphasized that the «Ode to Walt Whitman» is here for the first time complete in both languages, differing both from the frequently published fragment that appears in Gerardo Diego's anthology and elsewhere, and from the version in the English translation by Stephen Spender and J. L. Gili. The poems «Cielo vivo» and «El niño Stanton» differ substantially from versions I saw in the cuban magazine *Carteles;* I follow here the version of the typescript without any confidence that it is the maturer expression of the poet's judgment.

The typescript indicates that a selection of photographic illustrations was projected for the original book; it is impossible to reproduce them in this volume, but the list might be interesting to record– Statue of Liberty; Students, Dancing, Dressed in Women's Clothes; Burnt Negro; Negro in Dress Suit; Wall Street; Broadway 1830; Crowd; Desert; African Masks; Photomontage of Street with Snakes and Wild Animals; Pines and Lake; Rural American Scene; Slaughterhouse; The Stock Exchange; The Pope with Feathers; Photomontage of the Head of Walt Whitman with His Beard Full of Butterflies; The Sea; Havana landscape»[10].

---

[10] Edición Norton, págs. 16-18. La traducción de este texto es la siguiente:

«*Poeta en Nueva York* me llegó como un original mecanografiado, no siempre perfectamente claro, y a veces evidenciando su propia confusión. He seguido este original mecanografiado tal fielmente como he podido, algunas veces sin estar seguro si tenía sentido —¿quién puede asegurarlo siempre en la poesía superrealista?—, pero hay ciertas ocasiones en que he tenido que intentar fijar el texto. Esto no ha sido fácil,

En esta nota de Humphries quedan asimismo patentes varios aspectos esenciales para el conocimiento del citado original:

1. Los editores Norton recibieron *Poeta en Nueva York* «in typescript», que no significa solamente texto mecanografiado, sino también «intended for use as printer's copy»[11], es decir, destinado para ser usado como co-

ya que las versiones de los pocos poemas publicados no coinciden en absoluto; Lorca parece haber sido un corrector rápido, y no hay principio de lógica objetiva epigráfica que el estudioso-por-necesidad pueda aplicar a un material superrealista tan extremadamente subjetivo.

Hasta ahora he sido incapaz de localizar tres composiciones que el poeta, según este original mecanografiado, pretendía incluir en la colección. Éstos son: un poema titulado originalmente «Ribera, 1910», posteriormente llamado «Tu infancia en Menton», publicado en la revista *Héroe*, y destinado a ser el cuarto poema de la segunda sección; un poema llamado «Amantes asesinados por una perdiz», de la revista *Dos* (Valladolid), destinado a ser el quinto poema de la sección sexta; y un poema llamado «Crucifixión», en posesión de Don Miguel Benítez, de la Casa Fiat, de Barcelona, destinado a ser el tercer poema de la sección séptima. Por otro lado, la colección actual incluye dos poemas, «Paisaje con dos tumbas y un perro asirio», y «Vals en las ramas», que faltan en él; y debe resaltarse que la «Oda a Walt Whitman» se incluye aquí por vez primera completa en ambas lenguas, diferenciándose del fragmento más frecuentemente publicado, que aparece en la antología de Gerardo Diego y en otros lugares, y de la versión de la traducción inglesa de Stephen Spender y J. L. Gili. Los poemas «Cielo vivo» y «El niño Stanton» difieren sustancialmente de las versiones que he visto en la revista cubana *Carteles;* yo me ajusto aquí a la versión de este original mecanografiado sin el menor convencimiento de que sea la expresión más perfilada del criterio del poeta.

Este original mecanografiado indica que se proyectaba una selección de ilustraciones fotográficas para el libro original; es imposible reproducirlas en este volumen, pero puede ser interesante reflejar su lista — Estatua de la libertad; Estudiantes bailando, vestidos de mujer; Negro quemado; Negro en traje de etiqueta; Wall Street; Broadway 1830; Multitud; Desierto; Máscaras africanas; Fotomontaje de una calle con serpientes y animales salvajes; Lago y pinos; Escena rural americana; Matadero; La Bolsa; El Papa con plumas; Fotomontaje de la cabeza de Walt Whitman con la barba llena de mariposas; El mar; Paisaje de La Habana.»

[11] Significado que aparece en el *Webster Dictionary*. Daniel Eisenberg,

pia de impresor. Dicho texto no estaba «siempre perfectamente claro, y a veces evidenciando su propia confusión».

2.   Los editores de Séneca les enviaron un material donde no estaban cubiertos los espacios necesarios para su publicación. Sin los textos de los poemas que se mencionan en las hojas antes transcritas: las composiciones, «Tu infancia en Menton», «Paisaje con dos tumbas y un perro asirio», «Amantes asesinados por una perdiz», «Crucifixión» y «Vals en las ramas». De estas cinco creaciones sólo pudieron obtener dos, «Paisaje con dos tumbas y un perro asirio» (del que Humphries había anotado en la hoja recibida que lo tenían) y «Vals en las ramas». Éstas fueron incluidas en su edición, mientras las tres restantes no se encuentran en ella. De estas tres, Séneca publicará «Tu infancia en Menton». Sin embargo, tampoco incluirá «Crucifixión», cuyo manuscrito se hallaba en posesión de Miguel Benítez, en Barcelona, ni «Amantes asesinados por una perdiz», difícilmente localizable en México por haber sido publicada en la revista *Ddooss* de Valladolid.

3.   Humphries intervino para establecer el texto en «ciertas ocasiones», aunque no especifica en qué casos.

4.   Las versiones enviadas desde Séneca de los poemas «Cielo vivo» y «El niño Stanton» diferían sustancialmente de las conocidas por Norton y Humphries, por haber sido publicadas en la revista *Carteles* de La Habana.

5.   Humphries siguió lo recibido de Séneca «tan fielmente como he podido», aunque a veces «sin el menor convencimiento de que sea la expresión más acabada del criterio del poeta», especialmente en los casos de «Cielo vivo» y «El niño Stanton».

6.   Lo enviado contenía «una selección de ilustracio-

---

en 1976, llamó la atención sobre la correcta significación de esta palabra, *Poeta en Nueva York*, pág. 91.

nes fotográficas», proyectadas «para el libro original», que «es imposible reproducirlas en este volumen, pero puede ser interesante reflejar su lista».

* * *

Relacionadas con esta «Nota del traductor» están una serie de cartas entrecruzadas en aquellos momentos entre Humphries, Norton y Bergamín. Son de gran importancia para conocer más detalladamente las circunstancias que rodearon la aparición de la edición Norton, y las relaciones de estos editores con Bergamín[12]. De especial interés son las de Humphries a Norton, fechadas en el mes de noviembre de 1939, en las que el primero describe el material que está traduciendo, «83 páginas mecanografiadas a doble espacio». «De estas páginas 19 son de relleno, introducciones a las distintas secciones, dedicatorias, etc.»[13]. Estas dedicatorias son abundantísimas, ya que «no sólo está dedicado todo el libro, sino también sus diferentes partes y muchos poemas individuales. Al menos en un caso hay una nota indicando que la persona a la que se hizo este honor se ha hecho indigna de él[14]. Yo preferiría omitir todas las dedicatorias, porque me parece que estropean el libro; pero quizá si lo hiciéramos traicionaríamos el rigor de la edición»[15].

En estas cartas también se afirma que los editores de

---

[12] Estas cartas han sido traducidas y publicadas por Daniel Eisenberg, *Poeta en Nueva York, op. cit.,* págs. 41-88.

[13] Carta del 8 de noviembre de 1939, Eisenberg, pág. 77.

[14] Una anotación de este tipo no puede haber sido hecha sino por el autor, lo que reafirma lo anteriormente expuesto sobre la autoría de Lorca en la estructuración del libro. También ratifica que lo enviado a Humphries recogía todo el material que se encontraba en poder de Bergamín (en caso contrario, una nota de esta significación se habría evitado). Esto no invalida que dicho material debiera de ser revisado posteriormente, como era de esperar en la labor previa a una edición.

[15] Carta fechada el 6 de noviembre de 1939, Eisenberg, pág. 76.

Norton contaban con material de *Poeta en Nueva York*, previo al enviado por Bergamín. Una serie de poemas que habían ido recogiendo para la antología de Lorca que pensaban publicar. La inclusión de *Poeta* fue un hecho accidental, consecuencia de la posterior propuesta de Bergamín. El 4 de octubre de 1938, unos diez meses antes del acuerdo con Bergamín, Humphries afirma que le «ha sido fácil conseguir ediciones en rústica y baratas de Lorca, tanto de sus obras completas (los primeros tomos de la edición Losada) como antologías»[16]. El 25 de septiembre de ese mismo año escribe a Norton desde México, diciéndole que ha «encontrado bastante material del que no disponía en Nueva York, sobre todo por lo que respecta a los poemas que se incluyen bajo el título de *Poeta en Nueva York*. Además de la «Oda a Walt Whitman» y «Ciudad sin sueño» y «Niña ahogada en el pozo», que tal vez no pertenezcan a este periodo, también he localizado la «Oda al rey de Harlem» y «New York: Oficina y denuncia». Es posible que haya muchos más poemas de esta época, pero hasta ahora no he conseguido reunir la totalidad del libro, sólo fragmentos de antologías, pero ya tenemos lo suficiente como para seguir adelante»[17].

Estos materiales previos son los que le permitirían, al hacer la traducción de lo enviado por Bergamín, contrastar expresiones difíciles de interpretar y también, «en ciertas ocasiones», «establecer el texto», como afirma en su «Nota de traductor». Humphries no conocía bien el

---

[16] Por «unas notas a lápiz tomadas en México sabemos a qué antologías se refiere Humphries: las de Juan Marinello, de la LEAR (Antigua Librería Robredo, México, 1936), María Zambrano (Panorama, Santiago de Chile, 1937) y Norberto Pinilla (Zig-Zag, Santiago de Chile, 1937), y también conocía las antologías poéticas más generales de Souvirón (Santiago de Chile, 1934) y Onís (Madrid, 1934), al igual que la de Gerardo Diego (...). (Estas notas están en la caja VIII, archivador 23 de los papeles Humphries)». Daniel Eisenberg, *Poeta en Nueva York, op. cit.*, pág. 58.

[17] Eisenberg, *op. cit.*, págs. 54-55.

castellano, al igual que Norton, y su aprecio por las creaciones neoyorquinas no era excesivo, como se deduce de varias de sus afirmaciones. Alguno de estos poemas le parecían «francamente cargantes». «La poesía de su última época no me gusta mucho; de vez en cuando hay algún fragmento que está bien, pero en general me parece que el nuevo mundo y Nueva York eran un bocado demasiado grande para él, y hacía demasiado caso a toda esa quincalla surrealista»[18].

Con la revisión de estos materiales (las hojas recordatorio, la «Nota del traductor» de Humphries y las cartas entre éste y Norton) parecen haber ido perfilándose algunos de los aspectos fundamentales del perdido original de *Poeta en Nueva York*. La autoría de Lorca podría confirmarse, y también su división en secciones, con gran abundancia de dedicatorias, características que aparecen en lo publicado por Séneca y Norton. Sin embargo, la no total coincidencia de estas ediciones nos lleva a tener que dilucidar cuál de estas dos publicaciones es más fiel a lo entregado por Lorca. Las declaraciones de José Bergamín al respecto no son muy precisas. Unas veces afirma que eran «claro es, cuidadosamente exactas; copias que cuidaron y revisaron conmigo, entre otros amigos de Federico y míos, Emilio Prados (el poeta) y Eduardo Ugarte (mi cuñado, muy amigo de Federico) a quien éste había regalado el original del *Llanto»*[19]. Otras, por el contario, no mantiene esta afirmación. «¡Yo qué sé cómo se hizo la copia! ¡Yo qué sé como se mandó! Todo eso era mecánico. Era la secretaria de mi editorial la que se encargó de la copia y de mandarla»... «Todo esto pasaba en mi secre-

---

[18] Eisenberg, pág. 58.
[19] Carta de Bergamín a Gibson de 1977, ya citada. E. Martín, *Poeta en Nueva York, op. cit.*, pág. 21.

40

taría y de ello se encargaba directamente Emilio. Yo no sé»[20]. No obstante, sigue ratificando en esta última conversación, que ese texto era «el que Federico iba a publicar en ese momento» y que «en la edición de Séneca sale todo el material de que se dispone»[21], aunque no se le pudiera denominar manuscrito. «Ese montón (porque un montón era) de papeles... era lo que me dejó Federico encima de mi mesa y lo que Pilar salva, mi secretaria, sin saber lo que salva porque ella cogió todo lo que en mi despacho había, lo metió en una maleta y me lo trajo a París».

Entre ese montón de papeles, «a máquina, recortes de periódico y a mano, pero no de Federico», se encontraban, según parecen demostrar los documentos antes analizados, las indicaciones de Lorca sobre las secciones, dedicatorias y estructuración el libro. La medida en que estas anotaciones eran las suficientes para una correcta edición del original —sin que mediaran demasiado los editores— es lo que resulta difícil precisar. No es probable que fueran escasas, ya que en ese caso las diferencias entre Norton y Séneca habrían sido mucho mayores. Tampoco parece que lo enviado a Norton hubiese sido sometido a una excesiva criba, como así lo demuestran sus observaciones sobre la anotación acerca de la indignidad de cierta persona para recibir una dedicatoria, o la misma lista de ilustraciones. Este último dato, en la edición Séneca ni siquiera se menciona, pero sí concuerda con las declaraciones de Lorca en su última entrevista, donde habla de un libro extenso con «ilustraciones fotográficas y

---

[20] Conversación mantenida con Eutimio Martín el 20 de noviembre de 1978, E. Martin, págs. 27-42. Las diferencias de matización sobre este hecho, no muy claramente recordado y conflictivo en sus términos, son también debidas a la diferencia que existe entre la mayor seriedad de un texto escrito, como la carta anterior, y la presente conversación informal.

[21] Incluso se añadió un apéndice conteniendo versiones diferentes de distintos poemas.

cinematográficas». Ese «montón de papeles», con que Bergamín define el original de *Poeta en Nueva York*, aclara también la expresión de Lorca en esta entevista. Los «trescientos poemas», que en labios del autor no tienen valor de precisión numérica, sino de denominación hiperbólica de un libro de gran extensión, que «ya está puesto a máquina y creo que dentro de unos días lo entregaré», afirmaciones éstas que concuerdan con lo sucedido posteriormente.

Las diferencias más abundantes entre Norton y Séneca son de puntuación, ortografía y diferente disposición de las estrofas, además de algún cambio de letra, como estribillos o dedicatorias en cursiva[22]. Sólo existe una variación en la estructura, el poema «La aurora», que en Séneca cierra la sección III, mientras en Norton ocupa el tercer lugar de la Sección I. La ausencia de «Tu infancia en Menton» en este último volumen no se puede considerar un cambio, ya que obedece, como hemos visto, a la imposibilidad de los editores de encontrar el poema. Esta misma causa fue la que impidió incluir «Crucifixión» en las ediciones de Norton y Senéca. Únicamente dos composiciones plantean serios problemas textuales, «El rey de Harlem» y «Nocturno del hueco», en el que se encuentran las variaciones textuales más importantes. Estas di-

---

[22] Andrew A. Anderson ha sintetizado las diferencias entre ambas ediciones en su artículo *«Poeta en Nueva York* una y otra vez», *op. cit.*, pág. 38, cuyas palabras citamos a continuación:

«De las treinta y tres composiciones que constituyen el poemario, los dos editores (...) tuvieron que buscar independientemente los textos de tres poemas. De los treinta que, sin otra indicación, deberían derivarse del mismo original, *tres* discrepan sólo en cuanto a la puntuación y *cuatro* más sólo en cuanto a la puntuación y disposición de estrofas (...). Así, de los *veintitrés* poemas restantes, *veintiuno* ofrecen, aparte de las discrepancias del tipo de las señaladas, entre *una* y *cuatro* variantes de otra clase (generalmente de ortografía, letra o palabra distinta, singular *vs.* plural, etc.). Estas variantes se explican por las siguientes razones: erratas tipográficas; intervención editorial ortográfica; dificultad o error en algunos casos al descifrar o transcribir el original, etc.».

ferencias se pueden explicar por un manejo de fuentes distintas en cada una de las ediciones, como veremos al reseñar individualmente los poemas.

Entre los textos ofrecidos por Norton y Séneca, el primero parece ser más fiel al original. El parcial desconocimiento de la lengua de los editores neoyorquinos les forzó a seguir con mayor escrupulosidad un material a veces no excesivamente claro. Este aspecto es evidente en la puntuación de los poemas, mucho más escasa y cercana al modo de puntuar de Lorca, en la edición Norton, y sometida a una mayor elaboración en el texto de Séneca. Sin embargo, ambos editores disponían de un material complementario al existente en el original, que les permitía consultar, y a veces «fijar» el texto, como afirma Humphries en su «Nota del traductor». Norton contaba con las antologías y los poemas anteriormente citados, mientras Bergamín conocía, entre otras fuentes, la edición de Losada de 1938, donde se publicaron algunas de estas composiciones[23]. Esta circunstancia, además de las antes señaladas, hace que la edición de esta obra sea una labor ardua, al poseer cada poema su propia historia textual.

---

[23] Ver nota 15 del apartado anterior.

«Amantes asesinados por una perdiz»

Tal vez el caso más conflictivo de todo el corpus de *Poeta en Nueva York* sea el de este poema en prosa que, según consta en una de las hojas conservadas por Humphries, debía ocupar el «quinto lugar», presumiblemente de la sección VI, «Introducción a la muerte»[1]. La imposibilidad de conseguir su texto en 1940 hizo que no se incluyera en la edición Norton, como se afirma en la «Nota del traductor» de Humphries, y tal vez fuese esta la causa que impidió su integración en Séneca. El desconocimiento de esta hoja recordatorio hasta 1974[2] contribuyó asimismo a que no fuese incluida en ninguna de las ediciones de *Poeta en Nueva York*. Sólo las realizadas con posteriodad a esta fecha[3] se han planteado la idoneidad de integrar su texto en el poemario neoyorquino. Por razones diferentes, su inclusión hasta ahora ha sido rechazada[4].

---

[1] El ser adjudicado a esta sección y no a otra, se debe a la numeración de la hoja que aparece en su margen izquierdo, que señala el lugar 58 dentro de las 83 páginas, que, según Hmphries, constaba lo enviado por Bergamín. Con esta numeración sólo puede pertenecer a la sección VI.

[2] Eutimio Martín, *Contribution* (1974) aunque fue publicada por vez primera por Daniel Eisenberg, *Poeta* (1976).

[3] Eutimio Martín (Ariel, 1981); García Posada (Akal, 1982); Aguilar, *Obras completas* (1986), y Mario Hernández (Fundación Banco Exterior, 1987).

[4] En el caso de Eutimio Martín y García Posada, por ser defensores de la bipartición de estos poemas, en cuyos argumentos las hojas recordatorio no tienen valor alguno (y entre ellas la de «Amantes asesinados por una perdiz»). La edición Aguilar por seguir fundamentalmente la de Séneca, y la realizada por Mario Hernández por basarse esencialmente en la de Norton y «porque ningún

Sin embargo, sí se acepta como válido para la edición de *Poeta* lo entregado a Bergamín en 1936 y las hojas recordatorio como partes esenciales en la reconstrucción del original, es necesario replantearse su integración en el texto neoyorquino[5].

Este poema en prosa, escrito con anterioridad al viaje americano de García Lorca, fue revisado por su autor durante su estancia en la isla de Cuba[6]. Unos meses más tarde lo editaba en *Ddooss*[7], habiendo cambiado su disposición tipográfica, más cercana ahora a la de un poema. Aparecía acompañado de un «Autorretrato» de la época neoyorquina, el único de esta serie que se publicó en vida del autor, y en el que «se dejó llevar por su afición al juego de los desdoblamientos»[8], de tanta importancia en las obras fundamentales de este periodo, *El público* y *Poeta en Nueva York*[9]. La inclusión de este poema en las composi-

---

editor moderno se ha decidido tampoco a incluir este poema en prosa en *Poeta en Nueva York*» (*op. cit.*, pág. 133).

[5] Así lo señala Daniel Eisenberg en 1976. «La decisión de incluir «Amantes asesinados», aun cuando originariamente había sido escrito en España, la tomó el mismo Federico. Si fue o no un «error» es algo que no podemos juzgar», *Poeta en Nueva York, op. cit.*, pág. 203.

[6] Adolfo Salazar, en un artículo en que recuerda la estancia cubana de Lorca, se refiere a este texto como «Historia de dos amantes asesinados por una perdiz», composición que el autor le presenta como novedad, junto a *Así que pasen cinco años* y *El público*. «La casa de Bernarda Alba», *Carteles*, La Habana, 10 de abril de 1938, citado por Eisenberg, *Poeta*, pág. 203.

[7] *Ddooss*, núm. 3, Valladolid, marzo de 1931.

[8] Mario Hernández, *Federico García Lorca Dibujos*, Catálogo Exposición, Madrid, 1986, pág. 175. Es el único autorretrato de estas características que se conoce, «si exceptuamos el de cuerpo entero *con bandera y animal fabuloso*. La diferencia estriba en que el desdoblamiento, aquí, es de cabeza y ojos, sin salir del esquema del autorretrato de busto (...) Tras su rostro, caracterizado al modo habitual en él —cejas espesas de cortos trazos continuos, lúnulas, ojos vacíos de línea temblorosa— dibuja otro rostro de apariencia fantasmal, doble del primero (...) Los elementos con que el poeta juega son mínimos: creación de un espacio interior, donde los rostros se desdoblan, y diferenciación de la línea única en virtud de su grosor o delgadez para distinguir el peso de los distintos volúmenes».

[9] Sobre la significación del desdoblamiento del yo en la estructura de *El pú-*

ciones neoyorquinas debió estar clara para el autor, que llegó a indicarla en la hoja recordatorio antes citada. Sin embargo, la excesiva presencia de la parte narrativa en el poema —resaltada incluso en el título de «historia de dos amantes asesinados por una perdiz»— ha hecho difícil su integración en *Poeta en Nueva York*. Pero si revisamos atentamente su contenido, veremos que existen varios puntos de coincidencia con las creaciones de este poemario. En especial, con la composición que, en caso de incluirla, aparecería seguidamente, «Luna y panorama de los insectos (Poema de amor)».

Este último poema, como ya analizamos en otro lugar[10], parece estar estrechamente vinculado a otra composición casi homónima, «Luna y panorama de los insectos (El poeta pide ayuda a la Virgen)». La relación entre ambas creaciones la atestiguan las continuas alusiones a un «Capitán John». En esta última composición, forman parte del subtítulo, «Aventuras idiotas del Capitán John», tachado en el manuscrito, mientras que en «Poema de amor» se entremezclan con los versos de la composición, habiendo sido también desechadas posteriormente por el autor. Dichas alusiones aparecen en los versos siguientes:

(v.   2) «¡Capitán John, amarra las cadenas!»

(v.   5) «¡Capitán John! ¡Oh río de asesinos!»

(v. 16) «......... John del ruby»

(v. 18) «¡Capitán, las escalas! ¡las escalas!»

blico, ver María Clementa Millán, «Trajes y personajes», Introducción a la edición de esta obra, Madrid, Cátedra, 1987, págs. 53-61. El estudio de esta característica en *Poeta en Nueva York* se realiza en el presente volumen al analizar su mundo literario, en el apartado dedicado al «poeta» protagonista de la obra.

[10] «Sobre la escisión o no de *Poeta en Nueva York*», *Crotalón*, núm. 2, páginas 132-33.

(v. 33) «Mi amor, Capitán»

(v. 47) «Un diminuto guante corrosivo ¡Capitán John!»

(v. 49) «Cuida tu torso, capitán. ¡Mis manos!»

Asimismo, existe una relación de contenido entre ambas creaciones. «Poema de amor» recoge la narración de una historia amorosa donde no importan las formas —«son mentira las formas»[11]— que se ve amenazada por la luna y los insectos. «Cuida tus pies, amor mío, ¡tus manos!, / ya que yo tengo que entregar mi rostro. / ¡Mi rostro! mi rostro ¡Ay mi comido rostro!». Esta historia se preludia en la otra composición citada, donde el poeta pide ayuda a la Virgen para que le conceda «la pura luz de los animalitos» que «aman sin ojos». De este modo podrá *«narrar* cosas cubiertas de tierra», porque «sabes que yo comprendo la carne mínima del mundo / para poder expresarlo»[12]. El aspecto narrativo de «Poema de amor»

---

[11] La no importancia de la forma externa en que se manifiesta una historia de amor es otro de los temas capitales de su obra teatral *El público*. Sobre este aspecto, ver el apartado «La fuerza del amor» de la Introducción antes citada.

[12] El subrayado es nuestro. El texto completo de este poema (que continuaría en la respuesta de la Virgen al poeta, de la que sólo conocemos su esbozo a través de lo publicado por Martínez Nadal 2n 1974, «Habla la virgen María», la incluimos a continuación, así como el esbozo de su segunda parte. Para el tratamiento bibliográfico de esta composición, ver Miguel García Posada, *Federico García Lorca. Poesía, 2,* Madrid, Akal, 1982, págs. 726-27.

LUNA Y PANORAMA DE LOS INSECTOS
(EL POETA PIDE AYUDA A LA VIRGEN)

Pido a la divina Madre de Dios
Reina celeste de todo lo criado
me dé la pura luz de los animalitos
que tienen una sola letra en su vocabulario.
Animales sin alma. Simples formas.
Lejos de la despreciable sabiduría del gato.
Lejos de la profundidad ficticia de los búhos.
Lejos de la escultórica sapiencia del caballo.
Criaturas que aman sin ojos,

queda patente en su estructura, donde se combinan las descripciones secundarias con la acción central del poema. Éste empieza por una descripción introductoria a base de silogismos ilógicos, «Mi corazón tendría la forma de un zapato / si cada aldea tuviera una sirena»...[13], para ceñirse después al tema esencial de la composición:

---

con un solo sentido de infinito ondulado
y que se agrupan en grandes montones
para ser comidas por los pájaros.
Pido la sola dimensión
que tienen los pequeños animales planos,
para narrar cosas cubiertas de tierra
bajo la dura inocencia del zapato.
No hay quien llore porque comprenda
el millón de muertecitas que tiene el mercado.
Esa muchedumbre china de las cebollas decapitadas
y ese gran sol amarillo de viejos peces aplastados.
Tú Madre siempre terrible. Ballena de todos los cielos.
Tú Madre siempre bromista. Vecina del perejil prestado.
Sabes que yo comprendo la carne mínima del mundo
para poder expresarlo.

HABLA LA SANTÍSIMA VIRGEN

Si me quito los ojos de la jirafa.
Me pongo los ojos de la cocodrila.
Porque yo soy la Virgen María.
Las moscas ven una polvareda de pimienta.

Pero ellas no son la Virgen María.
Miro los crímenes de las hojas
el orgullo punzante de las avispas
el asno indiferente loco de doble luna
y el establo donde el planeta se come sus pequeñas crías.
Porque yo soy la Virgen María.

La soledad vive clavada en el barro

Ambas creaciones podrían formar parte del «Insectario» que Lorca menciona en su conferencia-recital sobre *Poeta en Nueva York*. Por esta razón los defensores de la escisión del corpus neoyorquino incluyen la primera parte en este poemario.

[13] Estos silogismos ilógicos son propios de la estructura poemática de las composiciones neoyorquinas, como analizaremos en el apartado dedicado a «La presencia superrealista».

«Y la luna,
¡La luna!
(..........)
Pero no la luna,
Los insectos.
Los muertos diminutos por las riberas.
Dolor en longitud.
Yodo en un punto.
Las muchedumbres en el alfiler.
El desnudo que amasa la sangre de todos,
y mi amor que no es un caballo ni una quemadura.
Criatura de pecho devorado.
¡Mi amor!»

Posteriormente, el poeta cuenta el desarrollo de esta amenaza. Cómo los amantes se ven acosados por estos insectos, que «¡gritan! ¡gimen! / ¡cubren! ¡trepan! ¡espantan!». Por ello «Es necesario caminar ¡de prisa! por las ondas, por las ramas», hasta que «Un diminuto guante corrosivo me detiene. ¡Basta!». El protagonista describe entonces la sensación de «la primera vena que se rompe» y la imposibilidad de salvación, ya que «Sólo existe / una cunita en el desván / que recuerda todas las cosas»[14]. Termina refiriéndose de nuevo a la presencia omnipotente de los insectos y de la luna que, como gran soberana, aparece «sentada en la puerta de sus derribos. / ¡¡La luna!!»

En «Amantes asesinados por una perdiz» se relata una historia de amor semejante. La de «un hombre y una mujer», «o sea», la de «dos mancebos desmayados», que se amaban por encima de cualquier circunstancia, «a pesar

---

[14] Con este verso el poeta alude al tema del hijo, estrechamente vinculado en esta obra y en gran parte de la producción de Lorca, a la expresión del sentimiento amoroso del protagonista. Este tema lo volveremos a tratar en la sección de este estudio dedicado a «El poeta», pero para una mayor profundización remitimos a nuestro estudio sobre *Poeta en Nueva York*, de Editorial Taurus, ya citado.

de la Ley de la gravedad» y «ante los ojos de los químicos». «Muchas veces tenían que apartar a los perros que
gemían por las yedras blanquísimas del lecho. Pero ellos
se amaban».

«Mano derecha,
con mano izquierda.
Mano izquierda,
con mano derecha.
Pie derecho,
con pie derecho.
Pie izquierdo,
con nube.
Cabello,
con planta de pie.
Planta de pie,
con mejilla izquierda.
(.........)
No había otro espectáculo más tierno...
¿Me ha oído usted?
¡Se acostaban!
(.........)
y las cinturas se entrecruzaban con un rumor de vidrios.»

Estos amantes mueren también a causa de su amor.
«Los dos lo han querido», porque «Una manzana será
siempre un amante, pero un amante no podrá ser jamás
una manzana». «Por eso se han muerto, por eso. Con 20
ríos y un solo invierno desgarrado.»

«Yo puse dos telegramas, pero desgraciadamente ya era
tarde.
Muy tarde.
Sólo sé deciros que dos niños que pasaban por la orilla del bosque, vieron una perdiz que echaba un hilito de
sangre por el pico.»

Lo dos poemas describen, por tanto, una muerte de

amor, tema fundamental de esta obra y especialmente de la sección IV. «Introducción a la muerte», donde debían pertenecer ambas creaciones según la hoja recordatorio de «Amantes asesinados por una perdiz». Esta última composición tiene también una estructura narrativa (tal vez demasiado evidente) en la que los aspectos esenciales de la acción aparecen igualmente, después de un preámbulo ilógico. «¿Será posible que del pico de esa paloma cruelísima que tiene corazón de elefante salga la palidez lunar de aquel trasatlántico que se aleja? / Recuerdo que tuve que hacer varias veces de mi cuchara para defenderse de los lobos». A continuación se llega al centro de la acción, «Fue muy sencillo», para después describir los distintos incidentes, que terminan, al igual que en «Poema de amor», en una escena sangrienta, «un hilito de sangre por el pico».

La historia de amor expuesta en «Amantes» tiene resonancias evangélicas, que asimismo la acercan a las obras del periodo neoyorquino, *El público* y *Poeta en Nueva York*. «Yo vi temblar sus mejillas cuando los profesores de la Universidad les traían miel y vinagre en una esponja diminuta». «Cuando las mujeres enlutadas llegaron a la casa del Gobernador éste comía tranquilamente almendras verdes y pescados fríos en un exquisito plato de oro.» Estas dos secuencias, relacionadas con la Pasión de Cristo, guardan una estrecha conexión con el protagonista de *Poeta en Nueva York*, que en «Nueva York (Oficina y denuncia)» se ofrece «a ser comido por las vacas estrujadas», para salvar a «la otra mitad» que «me escucha / devorando, cantando, volando, en su pureza». Pero fundamentalmente están vinculadas a la obra *El público*, donde aparecen los personajes de las mujeres enlutadas (en este caso, la madre de Gonzalo) y el del Gobernador, transformado en Emperador en «Ruina romana», posteriormente disfrazado de Poncio Pilatos. También en esta pieza teatral, el Desnudo Rojo, de evidentes connotaciones cristológicas, aparece en el cuadro quinto junto a un ambiente universitario, señalado por «la portada de una universidad» en el decorado, y por los personajes de los Estudiantes 1, 2, 3, y 4.

Otra de las vinculaciones de «Amantes asesinados por una perdiz» con el poemario neoyorquino es la referencia que se hace en este poema a un «capitán», presente asimismo en las dos composiciones de «Luna y panorama de los insectos» antes citadas. En «Amantes» esta alusión se repite dos veces, aunque las imágenes marinas están repartidas por todo el poema. «El viejo marino escupió el tabaco de su boca y dio grandes voces para espantar a las gaviotas. Pero ya era demasiado tarde». «Esta es la causa, querido capitán, de mi extraña melancolía.» La presencia de este capitán en «Luna y panorama de los insectos (Poema de amor)» explica también el epígrafe que encabeza sus versos, «La luna en el mar riela, / en la lona gime el viento / y alza en blando movimiento / olas de plata y azul», procedente de la «Canción del pirata» de Espronceda. La libertad del marino, transformado en Capitán John en este último poema, parece oponerse en ambas composiciones («Amantes asesinados por una perdiz» y «Poema de amor») a la terrible realidad de la muerte, provocada por la falta de libertad amorosa. Esta muerte de amor tal vez fue la causa principal que incitó a Lorca a incluir «Amantes asesinados por una perdiz» en el conjunto neoyorquino a través de su hoja recordatorio, a pesar de que el grado de elaboración poética sea mucho mayor en «Poema de amor» que en su poema en prosa, perteneciente a una etapa previa de su poesía.

ILUSTRACIONES FOTOGRÁFICAS

Según la «Nota del traductor», incluida por Humphries en la edición Norton, entre los materiales enviados por Bergamín existía una lista de dieciocho ilustraciones fotográficas, que debían acompañar la publicación de *Poeta en Nueva York*. Éstas no se reprodujeron en ninguna de las dos ediciones de 1940, dado que no constaban entre los materiales entregados por Lorca. Sólo aparecían sus títulos, que fueron reproducidos por Humphries en el mismo orden en que eran mencionados. De estas ilustraciones no se ha tenido posteriormente dato alguno. Únicamente nos queda el proyecto de Lorca, sin conocer tampoco el lugar que debían ocupar en el poemario. Estas circunstancias han hecho que ninguna edición de esta obra apareciese ilustrada con las referidas fotografías. Sólo se ha especulado con la posición que debían ocupar en el conjunto[1].

En esta edición se reproducen por vez primera los contenidos de las citadas ilustraciones, incluyéndolas en el mismo orden en que fueron descritas por Humphries. La posibilidad de reproducirlas, siguiendo esta misma ordenación, demuestra la intervención de Lorca, tanto en la estructura global de la obra como en la elaboración de la lista fotográfica. Su presencia refuerza los contenidos

---

[1] Daniel Eisenberg, *Poeta, op. cit.*, págs. 161-170 y Andrew A. Anderson, «The Evolution of García Lorca's Poetic Projects...», *op. cit.*, págs. 231-33.

de numerosas composiciones, aclarando, a la vez, el sentido de varias de sus secciones. A continuación referimos los motivos que nos han llevado a incluirlas en el lugar en que aparecen en el poemario:

Estatua de la libertad: Como monumento más representativo de la ciudad neoyorquina, su presencia al comienzo del conjunto indica la llegada del poeta a Nueva York.

Estudiantes bailando, vestidos de mujer: Esta ilustración refuerza el significado del poema «Fábula y rueda de los tres amigos», señalando el «baile» existente en su estructura (la «rueda» indicada en el título) y también el tipo de relación amorosa expresada en sus versos.

Negro quemado: Su contenido alude al primer poema de esta sección, «Norma y paraíso de los negros», donde se habla de un «paraíso quemado» (título inicial de esta composición). También indica la denuncia realizada por el poeta en toda sección II sobre la situación de los negros en la ciudad de Nueva York.

Negro vestido de etiqueta: Esta fotografía representa la figura del «Rey de Harlem», ensalzada por Lorca en su oda a este personaje imaginario, en quien simboliza las esperanzas de la raza negra en este segundo poema de la sección II.

Wall Street: Su presencia alude al primer poema de la sección III, «Danza de la muerte». En él «el ímpetu primitivo baila con el ímpetu mecánico», representado éste por Wall Street, centro de las finanzas neoyorquinas, de donde surgen «huracanes de oro y gemidos de obreros parados».

Broadway 1830. Esta ilustración refleja el contenido de otra parte de la creación, «Danza de la muerte», donde el protagonista se ve frente a los «cenicientos cristales de Broadway». La fecha señalada por Lorca, *1830,* establece una comparación entre lo que era Broadway en aquella época y en lo quedó transformada después de la caída de la Bolsa en octubre de 1929.

Multitud: Esta fotografía alude claramente a los títulos de los dos siguientes poemas de esta sección, «Paisaje de la multitud que vomita» y «Paisaje de la multitud que orina», estando vinculada especialmente al primero de ellos.

Desierto: El contenido de esta ilustración hace referencia al quinto poema de la sección III, «Navidad en el Hudson». En él se insiste reiteradamente en la soledad e infertilidad del poeta, que se encuentra «con las manos vacías» en un «cielo desierto».

Máscaras africanas: Estas figuras aluden al sexto poema de esta sección, «Ciudad sin sueño», donde el protagonista concibe, por vez primera en estas creaciones, la entrada del mundo africano en la ciudad de Nueva York, al ser esta composición anterior cronológicamente a «Danza de la muerte».

Fotomontaje de calle con serpientes y animales salvajes: Esta fotografía refuerza el contenido de la anterior, al referirse al mismo poema de «Ciudad sin sueño», donde «vendrán las iguanas vivas a morder a los hombres que no sueñan».

Pinos y lago: Esta ilustración abre la sección IV, «Poemas del lago Eden Mills», en una clara alusión al entorno referencial de estas creaciones.

Escena rural americana: El contenido de esta fotografía sirve de pórtico a la sección V, «En la cabaña del Farmer». En ella, el autor agrupa tres composiciones, que aluden a hechos o personajes concretos que pudieron ser conocidos por el poeta durante su estancia en el campo en el verano de 1929, aunque su significación sea diferente, como más adelante veremos.

Matadero: Esta ilustración refuerza el significado de la sección VI, «Introducción a la muerte (Poemas de la soledad en Vermont)» cuyo tema fundamental es la muerte, aunque enfocada bajo diferentes perspectivas. La presencia de esta fotografía al comienzo de la sección alude al título y significado de su primer poema, «Muerte», y al contenido de los cuatro restantes. En ellos también se nos habla de esta realidad, centrada, unas veces, en el mundo íntimo del poeta, como en «Nocturno del hueco», y proyectada, otras, en un universo más delimitado, como en «Pasaje con dos tumbas y un perro asirio».

La Bolsa: Esta fotografía que refleja el centro neurálgico de las finanzas neoyorquinas abre la sección VII, «Vuelta a la ciudad». Su presencia explica la selección de poemas realizada por el autor para este apartado. La primera composición, «Nueva York (Oficina y denuncia)», alude claramente a este significado, mientras la segunda, «Cementerio judío», describe la muerte de un miembro de este pueblo, asociado por Lorca al poder económico del mundo bursátil. Asimismo, explica la inclusión de su tercer poema, «Crucifixión», cuya presencia sirve al autor para identificar dentro del apartado, el sacrificio de Cristo con la posibilidad de salvación para el mundo simbolizado en la Bolsa. «Y la lluvia bajaba por las calles decidida a mojar el corazón», «mientras la sangre» seguía a los fariseos «con un balido de cordero». La inclusión de este poema detrás de «Cementerio judío» hace que se establezca un paralelismo entre estas dos muertes, representativas de posturas opuestas en la temática que quiere exponer el poeta.

El Papa con plumas: El contenido de esta ilustración sintetiza el expresado en el primer poema, «Grito hacia Roma», de la sección VIII «Dos Odas». En esta composición el poeta denuncia la actitud de Roma por su falta de solidaridad hacia los que sufren. El significado de esta creación contrasta, a su vez, con el del último poema del apartado anterior, «Crucifixión», donde el protagonista había ensalzado la figura de Cristo.

Fotomontaje de la cabeza de Walt Whitman con la barba llena de mariposas: Esta fotografía es una clara alusión al segundo poema de este apartado, «Oda a Walt Whitman». Su contenido coincide casi exactamente con dos de sus versos, donde el poeta afirma «Ni un solo momento, viejo hermoso Walt Whitman, / he dejado de ver tu barba llena de mariposas». El significado de esta ilustración refuerza la alabanza al poeta norteamericano realizada por el protagonista en esta composición.

El mar: La reproducción de este escenario abre la sección IX, «Huida de Nueva York (Dos valses hacia la civilización)». La similitud que el poeta establece entre esta fotografía y el contenido de la sección parece ser varia. En primer lugar, la consideración del murmullo del mar como otra clase de música, estableciendo, por tanto, una identidad con los valses de este apartado. Y en segundo término, la visión del mar como el camino físico que lo apartaría de Nueva York. Este aspecto aparece claramente reflejado en el título de la sección, donde el poeta habla de la «Huida de Nueva York» y su camino «hacia la civilización». Este acercamiento lo realiza a través de uno de

58

sus máximos exponentes, la vieja música del vals, símbolo de la civilizada Europa.

Paisaje de La Habana: Esta última ilustración abre la también sección final de la obra, titulada «El poeta llega a La Habana». Con ella se cerraba el ciclo iniciado al comienzo del poemario, donde la «Estatua de la libertad» era fiel indicadora de la llegada del poeta a la ciudad neoyorquina. Las relaciones entre fotografías y creación literaria parecen evidentes, reafirmando, una vez más, la estructuración el poemario según lo publicado por Norton y Séneca

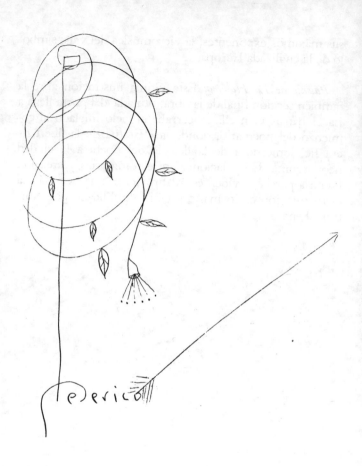

perico

«Poeta en Nueva York», mundo literario

Junto a los problemas textuales citados, estas composiciones presentan un alto grado de complejidad literaria. A ello contribuyen la gran elaboración de su lenguaje poético y la multiplicidad de perspectivas contenidas en los dos elementos esenciales que las componen, la ciudad y el poeta. Ante la exhaustividad que sería necesaria para un correcto análisis de este intrincado mundo literario, en las páginas siguientes ofrecemos una síntesis de sus aspectos fundamentales. Para una mayor profundización en este universo poético, remitimos a nuestro análisis de editorial Taurus, antes citado, así como al apartado bibliográfico del presente estudio.

En este volumen nos centramos en los rasgos esenciales de la obra, señalando por vez primera en la interpretación de sus versos, la diferencia existente entre lo que hemos denominado «estructura externa» y «configuración interna» del poemario. La no diferenciación entre estos dos aspectos ha llevado a numerosas desviaciones de interpretación, promovidas, en parte, por la coincidencia entre esta «estructura externa» de la obra y la interpretación para el gran público dada por Lorca en su conferencia-recital sobre *Poeta*. De esta duplicidad de significaciones se derivan, a su vez, numerosos aspectos existentes en los dos elementos antes citados, la ciudad y el poeta. Ninguno de ellos aparece de modo unívoco, sino fraccionado en numerosas perspectivas que requerían para su expresión el también complejo lenguaje superrealista. Sin embargo, la adhesión de Lorca a este movimiento es muy parcial, como asimismo esbozamos en el último apartado de este análisis.

Estructura externa y configuración interna
(Secciones y epígrafes)

Si consideramos *Poeta en Nueva York* como una síntesis de lo publicado en Norton y Séneca, es decir, dividida en secciones, con epígrafes y dedicatorias, veremos que existe un desfase entre lo que podríamos denominar «estructura externa» y «configuración interna» de la obra. La primera está marcada por los títulos de las diferentes *secciones,* que presentan este poemario como la «crónica poética» de un viaje a Nueva York y La Habana, mientras gran parte de los aspectos fundamentales de la segunda aparecen reflejados en los *epígrafes* de la obra. El viaje que relatan las secciones coincide con el realizado por García Lorca entre 1929-30: llegada a Nueva York, salida al campo, vuelta a la ciudad, e ida a La Habana[1]. De ahí que las diez secciones de este libro se titulen significativamente:

    I. «Poemas de la soledad en Columbia University»
   II. «Los negros»
  III. «Calles y sueños»

---

[1] Lorca llega a Nueva York el 26 de junio de 1929, instalándose en la Universidad de Columbia. Allí permanece hasta su salida al campo de Vermont en agosto de ese año, y a las montañas de Catskill, a finales de este mes o principios de septiembre. Vuelve a la ciudad en otoño, donde estará hasta su viaje a Cuba, iniciado el 7 de marzo de 1930, para desembarcar en Cádiz a principios de julio de este mismo año.

63

Esta ordenación coincide aproximadamente con la trayectoria explicada por García Lorca en su Conferencia-recital sobre *Poeta en Nueva York*[3], y también con la imagen de la obra que el autor quiso transmitir en este acto[4]. La visión estereotipada de un viajero que se siente perdido en la gran ciudad y busca el alivio del campo, sintiéndose feliz al abandonar la metrópolis y llegar a la isla de Cuba. En esta conferencia el autor alude también a otros aspectos de este poemario, reflejados en las secciones, como la evocación de la infancia, existente en la sección I; los negros, título de la sección II; y la calle más signifi-

---

[2]   García Lorca, por no sabemos qué razones, escribió el nombre de este lugar como «Edem Mills», siendo su correcta denominación Eden Mills.

[3]   La distribución de poemas en Norton y Séneca es semejante a los mencionados en la conferencia-recital, aunque se aumente el número de composiciones antes del viaje a Vermont y se reduzca el de la etapa «Vuelta a la ciudad», además de añadir la sección VI, «Introducción a la muerte», que no consta en la conferencia. Este último hecho ha llevado a los defensores de la escisión de estos poemas a tomar el texto de la conferencia como guía fundamental para la ordenación de *Poeta en Nueva York*, incluyendo las composiciones de la sección VI en el libro *Tierra y luna*. García Posada ordena su edición de *Poeta* poniendo, al frente de cada una de las VI partes un párrafo de la conferencia-recital, alusivo al contenido de los poemas que incluye.

[4]   El autor intentó paliar así la dificultad de interpretación de estas creaciones, dándoles una estructura externa comprensible para el gran público. De este modo disminuía la posibilidad de rechazo, ocurrido con otras creaciones de este periodo, como su obra teatral *El público*.

cativa de Nueva York (dentro de una visión negativa de esta ciudad) Wall Street, correspondiente a la sección III, «Calles y sueños».

Sin embargo, si se revisan atentamente los poemas, se puede ver que su contenido no refleja el tiempo lineal de los títulos de las secciones y la conferencia, ni tampoco la imagen estereotipada antes aludida. Por el contrario, el autor se vio obligado a no respetar la cronología de estas creaciones[5] y el lugar en que fueron escritas[6], para poder adaptarlas al texto de la conferencia y, posteriormente, a la denominación de sus secciones. Tampoco el campo es en los poemas el lugar idílico de la conferencia. La oposición campo ciudad, que el autor promueve en este acto, no aparece en las composiciones, donde las escritas fuera de la ciudad están entre las más amargas del conjunto. Este último aspecto sí se encuentra reflejado en el título de la sección VI, «Introducción a la muerte (Poemas de la soledad en Vermont)», contrariamente a lo que ocurre en la conferencia. En ella, no se alude a esta sección, y la estancia en el campo sirve al poeta para endulzar «el áni-

---

[5] «Ciudad sin sueño», «Paisaje de la multitud que vomita» y «Danza de la muerte», compuestos en el mes de octubre de 1929, el primero, y en diciembre los siguientes, son citados como escritos antes de su estancia en Vermont en agosto de ese año, mientras que «Niña ahogada en el pozo» y «El niño Stanton», fechados en diciembre y enero, respectivamente, aparecen mencionados entre las composiciones escritas en el campo de Vermont.

[6] «La geografía de estas secciones de *Poeta* es muy confusa. Ángel del Río nos ha explicado (...) que «Niña ahogada en el pozo» y «El niño Stanton» se refieren a niños de la granja de Bushnellsville, cerca de Shandaken, donde pasaba sus vacaciones, mientras que Lorca ha relacionado estos poemas con Newburg, donde fue a visitar a Onís después de dejar a Ángel del Río; (...). Otro poema de la misma sección, «Vaca», sabemos que fue inspirado por un hecho ocurrido en Vermont (...). De la sección «Introducción a la muerte. Poemas de la soledad en Vermont», el único poema del que tenemos datos concretos, «Paisaje con dos tumbas y un perro asirio», se refiere a un perro de la granja de los Stanton». «La conclusión que puede sacarse de todo eso es sencillamente que los títulos de estas secciones no son muy de fiar en cuanto a informarnos acerca de las localidades a las que se refieren los poemas», Daniel Eisenberg, *Poeta en Nueva York, op. cit.*, págs. 164 y 166.

mo entre los abetos y mis pequeños amigos». Este significado es adjudicado por el conferenciante a los poemas de las secciones IV y V, «Poemas del lago Eden Mills» y «En la cabaña de farmer (Campo de Newburg)» respectivamente[7].

Otro desajuste entre los poemas y el contenido de los títulos de las secciones y la conferencia, es la consideración de Nueva York como la causa fundamental de la angustia del protagonista poético. La denominación de la sección VI recoge este significado, «Huida de Nueva York (Dos valses hacia la civilización)». Por el contrario, los poemas hablan constantemente de un intenso dolor, pero no producido esencialmente por la situación actual del protagonista[8], ni tampoco por una circunstancia externa[9], sino por un anterior problema amoroso[10]. Este

---

[7] Los poemas de estas dos secciones no tienen, sin embargo, esta significación positiva, ya que entre ellos se encuentran composiciones tan amargas como «Niña ahogada en el pozo», o «Poema doble del lago Eden». En esta última, el autor compara la felicidad de su niñez con su terrible realidad de hoy, no debida a su estancia en la ciudad de Nueva York, sino a la imposibilidad de ver realizada su pasión amorosa. «Pero no quiero mundo ni sueño, voz divina, / quiero mi libertad, mi amor humano / en el rincón más oscuro de la brisa que nadie quiera. / ¡Mi amor humano!»

[8] A estos hechos anteriores a su estancia en Nueva York se refiere el poeta en una carta a Ángel del Río, fechada en Eden Mills, Vermont, en agosto de 1930. «Esto es acogedor para mí, pero me ahogo en esta niebla y esta tranquilidad que hacen surgir mis recuerdos de una manera que me queman», *Federico García Lorca. Epistolario, II*, ed. Christopher Maurer, Madrid, Alianza, 1983, pág. 131. A estas vivencias previas hace también alusión una de las composiciones colocadas al principio del poemario, «1910 (Intermedio)», donde el autor habla en pasado de la experiencia causante de su terrible situación actual. *«He visto* que las cosas / cuando buscan su curso encuentran su vacío. / *Hay* un dolor de huecos por el aire sin gente / y en mis ojos criaturas vestidas ¡sin desnudo!». (El subrayado es nuestro.)

[9] El que la estancia en Nueva York no sea la causa esencial de la angustia del protagonista no quiere decir que no critique algunos aspectos de la ciudad, donde fue, sin duda, un huésped privilegiado. Sus palabras contra Harlem, Wall Street o las multitudes de Coney Island o de Battery Place, están en total consonancia con la visión del mundo que el autor quiere expresar en esta obra, como veremos al hablar de «la ciudad».

[10] El tema del amor en este poemario lo analizamos más adelante al tratar la figura del protagonista poético en estas creaciones.

último significado es el que recogen los *epígrafes,* que en nada aluden a la interpretación desprendida de los títulos de las secciones. Según el texto que hoy conocemos, a través de Norton y Séneca, son cinco los epígrafes incluidos en *Poeta en Nueva York,* pertenecientes todos ellos a obras poéticas de distintos autores, Cernuda, Guillén, Aleixandre, Garcilaso y Espronceda. A continuación recogemos sus textos, en el mismo orden y lugar que aparecen en el poemario.

«Furia color de amor
amor collor de olvido»
       Luis Cernuda[11]

Al frente de la Sección I,
«Poemas de la soledad en Columbia University»

«Si, tu niñez: ya fábula
       de fuentes»
      Jorge Guillén[12]

«Tu infancia en Menton»

«Un pájaro de papel en
       en el pecho
dice que el tiempo de los
       besos no ha llegado»
   Vicente Alexaindre[13]

Al frente de la sección III,
«Calles y sueños»

«Nuestro ganado pace, el
       viento espira»
      Garcilaso[14]

«Poema doble del lago Eden».

---

[11] Versos pertenecientes al poema «La canción del Oeste», del libro *Un río, un amor.*
[12] Versos pertenecientes al poema «Los jardines» de *Cántico.*
[13] Los dos primeros versos del poema «Vida» del libro *La destrucción o el amor.*
[14] Verso 1146 de la *Égloga segunda* de Garcilaso.

«La luna en el mar riela,
en la luna gime el viento,
y alza en blando movimiento
olas de plata y azul»
                    ESPRONCEDA[15]

«Luna y panorama de los insectos (Poema de amor)»

Estos cinco epígrafes, dos de ellos colocados al comienzo de las secciones I y III, no hablan de la angustia del poeta ante la ciudad neoyorquina, ni tampoco del tiempo lineal en que, según los títulos de las secciones y la conferencia, parecía transcurrir este poemario. Por el contrario, se refieren a una situación amorosa dolorida, subrayada por la presencia de la cita de Vicente Aleixandre al frente de una de las partes aparentemente más referenciales del conjunto, «Calles y sueños»[16]. Los contenidos de estos epígrafes parecen recoger los aspectos esenciales de estas creaciones, apuntando, más que a la estructura externa de la obra, a los aspectos fundamentales de su mundo poético.

La «Furia color de amor / amor color de olvido» con que se abre la sección I y, por tanto, todo el libro, nos sitúa en el camino idóneo para entender su significado. El poeta quiere olvidar la furia de un amor pasado, cuyo fracaso provoca la angustiosa realidad de hoy. Ya ha concluido la época de la niñez, fuente de fábulas, según el segundo epígrafe[17], y el protagonista ha de enfrentarse a su vida de adulto. Es un tiempo de desamor, «Un pájaro de

---

[15] Versos 9-12 de «La canción del pirata» de Espronceda.

[16] La colocación de este epígrafe al comienzo de esta sección, con poemas subtitulados, «Anochecer de Coney Island», «Nocturno de Battery Place», «Nocturno del Brooklyn Bridge», etc., nos indica que el poeta no nos va a hablar fundamentalmente de Nueva York. Detrás de esta visión negativa de la gran ciudad se esconde el motivo esencial de este sentimiento, recogido en el epígrafe que preside sus versos.

[17] Este epígrafe explica el título del poema donde aparece, «Tu infancia en Menton», es decir, tu niñez en el fabuloso reino del Caballero Cifar, pero sin ser trasladado a la realidad actual del poeta, que se siente angustiado por no poder refugiarse en aquel mundo de ensueño.

papel en el pecho / dice que el tiempo de los besos no ha llegado», sobre el que el autor va a hablar, como hace Garcilaso en su *Égloga Segunda*. Una vez que todo está en calma, «Nuestro ganado pace, el viento espira», el poeta se desdobla en distintas voces. No en Salicio y Nemoroso, sino en una creación casi «sinfónica»[18], que recoge las diferentes facetas del protagonista poético. Su «dolorido sentir», por un amor no realizado, se opone a la libertad de que goza el pirata de Espronceda, como parece aludir el último epígrafe. La luna de esta canción, reflejada en «olas de plata y azul», es totalmente distinta a la portadora de muerte que preside la creación neoyorquina, «Luna y panorama de los insectos (Poema de amor)» donde aparece.

Estos epígrafes dejan entrever un mundo complejo, que en nada se ajusta a la interpretación unívoca, dada por el autor en su conferencia y en los títulos de las secciones. Una riqueza de significados que se hace evidente al analizar los dos elementos esenciales que componen la obra, el poeta y la ciudad, aunque el autor buscase simplificar la interpretación de este libro para hacerlo llegar al gran público. Sin embargo, su significación se escapa de esta sencilla línea interpretativa, haciendo de *Poeta en Nueva York* una de las obras más complejas de todo el corpus poético de García Lorca.

---

[18] Esta denominación fue aplicada por el mismo poeta a las creaciones neoyorquinas en una carta escrita a su familia desde Nueva York en enero de 1930. «Yo creo que todo lo mío resulta pálido al lado de estas cosas [libro de poemas], que son en cierta manera *sinfónicas*, como el ruido y la complejidad neoyorquinas», *Federico García Lorca. Epistolario, II*, ed. Christopher Maurer, *op. cit.*, pág. 137.

La ciudad

En 1931 García Lorca definía la ciudad que aparece en sus poemas neoyorquinos como «interpretación personal, abstracción impersonal, sin lugar ni tiempo dentro de aquella ciudad mundo. Un símbolo patético: sufrimiento»[1]. Sus palabras señalan los dos aspectos fundamentales que configuran la visión de la ciudad mostrada en estas creaciones. Por un lado, la «interpretación» del mundo neoyorquino llevada a cabo por el poeta, y por otro, la consideración de Nueva York como una «ciudad mundo». Un «símbolo patético: sufrimiento», donde los elementos referenciales han desaparecido para dejar paso a una «abstracción impersonal, sin lugar ni tiempo». Estas dos facetas aparecen entremezcladas en *Poeta en Nueva York*, siendo la segunda mucho más importante que la

---

[1] Entrevista realizada por Gil Benumeya, «Estampa de Federico García Lorca», *La Gaceta Literaria*, 15 de enero, pág. 7. En estas declaraciones Lorca denomina a su futuro libro *La ciudad,* cargando toda la fuerza interpretativa de la obra sobre este aspecto de su creación. Estas palabras las pronunciaba meses más tarde de haber anunciado la división de sus poemas traídos de América, diferenciando el «trabajo en el campo, en Nueva Inglaterra», correspondiente a su proyectado libro *Tierra y luna,* de su «interpretación poética de Nueva York» (M. Pérez Ferrero, «Veinte minutos de paseo con Federico García Lorca», *Heraldo de Madrid,* 9 de octubre de 1930). Esta circunstancia hace sus declaraciones especialmente valiosas, ya que se refieren exclusivamente al tema de «la ciudad», título que pensaba dar a su nueva obra. En él, el autor distingue estas dos facetas, que siguen explicando hoy día la concepción del tema neoyorquino existente en lo que actualmente aceptamos como *Poeta en Nueva York.*.

primera, a pesar de la línea interpretativa que parece derivarse de la «estructura externa» del libro.

Desde un punto de vista interpretativo, la ciudad neoyorquina se muestra en este poemario de forma metonímica, mediante referencias aisladas a sus elementos más representativos. Nombres geográficos, como Battery Place, Coney Island, Wall Street, Bronx, Riverside Drive, Brooklyn Bridge, etc., aparecen esparcidos en diferentes creaciones, configurando el escenario en que se mueve el protagonista. Esta visión de la gran ciudad se completa con otros aspectos definitorios de Nueva York, como Harlem, el mundo financiero de Wall Street, las multitudes, los puentes, las calles y luces de la metrópolis, etc. Estos elementos aparecen fundamentalmente en los poemas que integran las secciones II, III y VII, denominadas «Los negros», «Calles y sueños» y «Vuelta a la ciudad», respectivamente. El protagonista se ve a sí mismo formando parte de este paisaje urbano (plasmado igualmente en uno de sus dibujos de la época) como afirma en las creaciones «Danza de la muerte» y «Paisaje de la multitud que vomita».

«Yo estaba en la terraza luchando con la luna.
Enjambres de ventanas acribillaban un muslo de la noche
(..........)
y las brisas de largos remos
golpeaban los cenicientos cristales del Broadway.»

«Yo, poeta sin brazos, perdido
entre la multitud que vomita.»

Los elementos elegidos por Lorca para mostrar su visión neoyorquina no difieren mucho de los aparecidos en la literatura y el cine de la época, ni tampoco el carácter negativo con que los presenta. Novelas como *Manhattan Transfer* de John Dos Passos, y películas como *Metrópolis* de Fritz Lang, serían muestras significativas del interés despertado por la gran ciudad como tema artístico, presentada desde un punto de vista negativo. La visión de la gran urbe, como signo de progreso de ultraístas y creacionistas, es sustituida, a finales de los años 20, por una consideración negativa, que ve en la metrópolis un mundo adverso para el hombre, destructor de los valores genuinamente humanos[2].

Esta interpretación de la ciudad la asume García Lorca[3], relacionándola con otros aspectos esenciales de su obra, como el tema amoroso o la falta de armonía y solidaridad en el universo[4]. Esta estrecha conexión hace que las creaciones de *Poeta en Nueva York* meramente interpretativas sean escasas. Poemas como «Navidad en el Hudson», «Panorama ciego de Nueva York», o «Nueva York (Oficina y denuncia)» que, según sus títulos y la interpretación derivada de la estructura externa de la obra, podrían llevarnos a una descripción de la ciudad, muestran, sin embargo, una concepción mucho más compleja,

---

[2] Para un análisis más exhaustivo de los antecedentes de esta visión de la ciudad mostrada por Lorca, remitimos a nuestro estudio de editorial Taurus sobre *Poeta en Nueva York* anteriormente citado.

[3] La existencia de esta consideración negativa de la ciudad en el contexto artístico de la época explica la visión de Lorca, que no responde a sus experiencias concretas en aquel entorno, donde fue un huésped privilegiado. Sus cartas y declaraciones de los que le conocieron en aquel momento así lo testifican, aunque el poeta se mostrase crítico con ciertos aspectos de esta gran urbe, que a pesar de ello, le parecía de «una alegría insospechada».

[4] Uno de los temas importantes de este poemario es la denuncia por parte del poeta de un universo que está en continua lucha. Los distintos seres se atacan entre sí, siendo el mundo natural el más amenazado por la nueva sociedad tecnológica. Este acecho provoca la reacción contraria, la entrada del mundo selvático en la gran ciudad, como se describe en los poemas «Danza de la muerte» y «Ciudad sin sueño», cuyos versos citamos a continuación, «Vendrán las iguanas vivas a morder a los hombres que no sueñan / ... / los caballos vivirán en las tabernas / y las hormigas furiosas / atacarán los cielos amarillos que se refugian en los ojos de las vacas». En este ataque del mundo natural se ha visto la influencia de Lautréamont, como ha destacado Virginia Higginbotham, «Reflejos de Lautréamont en *Poeta en Nueva York*», *Federico García Lorca*, Madrid, Taurus, 1975, ed. Ildefonso-Manuel Gil, págs. 299-311.

relacionada con la segunda faceta señalada por Lorca en su entrevista. Una «ciudad mundo», «sin lugar ni tiempo», convertida en símbolo de sufrimiento. Los versos de «Nueva York (Oficina y denuncia»)» que a continuación citamos, expresan la vinculación establecida por el autor entre los distintos aspectos de su obra.

> «Hay un mundo de ríos quebrados y distancias inasibles
> en la patita de ese gato quebrada por un automóvil,
> y yo oigo el canto de la lombriz
> en el corazón de muchas niñas.
> Óxido, fermento, tierra estremecida
> Tierra tú mismo que nadas por los números de la oficina.
> ¿Qué voy a hacer? ¿Ordenar los paisajes?
> ¿Ordenar los amores que luego son fotografías,
> que luego son pedazos de madera y bocanadas de sangre?
> No, no; yo denuncio.
> Yo denuncio la conjura
> de estas desiertas oficinas
> que no radian las agonías,
> que borran los programas de la selva,
> y me ofrezco a ser comido por las vacas estrujadas
> cuando sus gritos llenan el valle
> donde el Hudson se emborracha con aceite.»

El poeta hace de su visión de Nueva York, «óxido, fermento, tierra estremecida», un símbolo de la falta de solidaridad en el universo, viendo «un mundo de ríos quebrados y distancias inasibles / en la patita de ese gato quebrada por un automóvil». Ante esta situación de sufrimiento, que le recuerda la suya propia, incluida en ese «mundo de ríos quebrados», se pregunta qué puede hacer, «¿Ordenar los paisajes?», «¿Ordenar los amores que luego son fotografías, / que luego son pedazos de madera y bocanadas de sangre?». ¿Dedicarse a ordenar en su memoria los «paisajes» de hechos anteriores, de vivencias amorosas que con el tiempo sólo sirven para adornar el marco (los «pedazos de madera») de una fotografía, recordándole sufrimientos anteriores en forma de «bocanadas de sangre»? ¿O, por el contrario, denunciar esta situación, que incluye a los habitantes de Nueva York («tú mismo que nadas por los números de la oficina») basándose en ese sufrimiento amoroso, que le asemeja a la figura de Cristo, y por el que se ofrece «a ser comido por las vacas estrujadas»?[5]. «No, no; yo denuncio.»

Este especial tratamiento del tema de la ciudad convierte a Nueva York en una «abstracción», donde la gran urbe va perdiendo sus características referenciales para convertirse en un universo de esquinas, biombos, arcos y escaleras que sustituye en gran parte de las composiciones al escenario real donde vivió el poeta. Este proceso de «desrealización», semejante al que encontramos en otras obras de Lorca[6], permite al autor exponer sus reflexiones sobre sí mismo y sobre el universo en que vive, sin tener que ceñirse a la realidad neoyorquina[7]. García Lorca hace así de este libro su más importante confesión poética, utilizando como principal vehículo expresivo el gran símbolo negativo que es Nueva York en estas creaciones. El sufrimiento de los seres que pueblan esta «ciudad mun-

---

[5] La figura de Cristo es una imagen evocada con frecuencia en la producción de García Lorca, teniendo una especial importancia en la obra coetánea *El público*, como ya señalamos con anterioridad. Sobre este aspecto, ver Eutimio Martín, *García Lorca, heterodoxo y mártir. Análisis y proyección de la obra juvenil inédita*, Madrid, Siglo XXI, 1986.

[6] Un proceso similar, aunque con carácter positivo, aparece en el *Romancero gitano*, donde Granada también ha perdido sus características referenciales para convertirse en una ciudad idealizada, «con las torres de canela». En *Poeta en Nueva York* la transformación tiene signo negativo, ya que lo que se pretende es hacer de ella un símbolo de sufrimiento y no el paraíso perdido de la infancia y primera juventud, como es Granada en esta segunda obra. Sobre este aspecto, ver María Clementa Millán, «García Lorca y la ciudad», *Lecciones sobre Federico García Lorca*, Granada, mayo de 1968, ed. de Andrés Soria Olmedo, páginas 251-265.

[7] La visión del mundo que el autor expone en esta obra sobrepasa con mucho la del mundo neoyorquino, como trataremos con más detenimiento en el siguiente apartado al hablar del protagonista poético.

do» es el nexo de unión con otros aspectos de esta obra, como el propio dolor del poeta, y la denuncia de otras faltas de solidaridad, como la expuesta en «Grito hacia Roma». El protagonista se siente hermanado con todos aquellos que, como él, padecen una situación de desamor, manifestada en la obra por el tema de la muerte. Una muerte, física o psicológica, que anega todo el poemario, haciendo de Nueva York una ciudad de muerte[8], porque en ella no hay amor. Así lo indica el epígrafe que encabeza la sección III, la más referencial de todo el conjunto, precedida de la expresión de desamor, «el tiempo de los besos no ha llegado».

Esta estrecha relación entre la situación dolorida del protagonista y el «símbolo patético» de Nueva York, explica la concepción general de la obra, que no parece obedecer a la crónica poética de un viaje por tierras americanas —como se podría deducir de la interpretación dada por Lorca en su conferencia y de la «estructura externa» del libro—, sino a una revisión del mundo interior del poeta. De ahí, que la obra comience centrándose en la figura del protagonista, que expone su sufrimiento actual en los poemas, «Vuelta de paseo» y «1910 (Intermedio)» y las causas que lo han provocado («Tu infancia en Menton», y «Fábula y rueda de los tres amigos») resumidas en el epígrafe que encabeza esta sección I: «Furia color de amor / amor color de olvido». Posteriormente, el poeta pasará a describir algunos aspectos de la ciudad neoyorquina, presididos en la sección III por el epígrafe de desamor antes citado. La soledad del protagonista, expresada

---

[8] La exhaustividad con que el poeta trata el tema de la muerte en estas creaciones exigiría un estudio aparte. El autor desmenuza hasta sus más mínimos matices el mundo de muerte de estos poemas, que incluye numerosos tipos y grados de muerte, tanto física como psicológica. También las distintas etapas que puede abarcar la entrada y posterior vida en este reino de la muerte. Sobre este aspecto, ver nuestro estudio sobre *Poeta en Nueva York* en editorial Taurus, antes citado.

en la primera sección, vuelve a aparecer en los «Poemas de la soledad en Vermont» de la sección VI, concluyendo la obra cuando el poeta abandone esta ciudad de desamor y muerte y llegue a La Habana, tierra exultante de sensualidad y erotismo.

El tema amoroso vuelve a ser, como en su pieza coetánea *El público*, el eje vertebrador de la obra, aunque aparezca revestido de otra apariencia, como sucede en esta producción teatral[9]. Su importancia para el protagonista explica la presencia en el poemario de realidades tan aparentemente distintas como el mundo neoyorquino, la denuncia de «Grito hacia Roma», y la exaltación de la figura de Walt Whitman. La mayor o menor participación en este sentimiento de amor y solidaridad humanos marcará el signo positivo o negativo con que estos elementos aparezcan en la obra[10]. Sin embargo, la más destacada apor-

---

[9] El tema del amor es el que establece en esta obra las relaciones entre los distintos personajes, y también su carácter positivo o negativo según sea la autenticidad de su sentimiento amoroso. Sin embargo, el tema en apariencia fundamental de esta pieza parece ser el teatro, si nos dejamos llevar por su título, y por las discusiones entre el Director y el Prestidigitador que abren y cierran su trama. Para un análisis detallado de este aspecto, remitimos a nuestra Introducción a esta obra en editorial Cátedra, mencionada con anterioridad.

[10] El universo neoyorquino y la Iglesia católica serán denunciados por el poeta por su falta de solidaridad con el que sufre, como se afirma en los versos de «Grito hacia Roma», que a continuación citamos:

«Los maestros enseñan a los niños
una luz maravillosa que viene del monte;
pero lo que llega es una reunión de cloacas
donde gritan las oscuras ninfas del cólera.
Los maestros señalan con devoción las enormes cúpulas sahumadas,
pero debajo de las estatuas no hay amor,
no hay amor bajo los ojos de cristal definitivo.
El amor está en las carnes desgarradas por la sed,
en la choza diminuta que lucha con la inundación.
El amor está en los fosos donde luchan las sierpes del hambre,
en el triste mar que mece los cadáveres de las gaviotas
y en el oscurísimo beso punzante debajo de las almohadas.»

Por el contrario, exaltará a Walt Whitman, porque su sentimiento amoroso es auténtico, «Tú buscabas un desnudo que fuera como un río», frente a los ma-

tación de García Lorca al tema de la ciudad tal vez sea el haber integrado en un todo armónico las dos facetas esenciales que señaló en su entrevista. El ser, a la vez, «interpretación» y «símbolo» de una misma realidad negativa, que, en su sufrimiento, se equipara a la intimidad del protagonista.

_____

ricas «de carne tumefacta y pensamiento inmundo. / Madres de lodo. Arpías. Enemigos sin sueño / del Amor que reparte coronas de alegría».

El poeta

Frente a lo que pudiera deducirse de una primera aproximación a esta obra, el eje esencial de estas creacio nes no es la ciudad neoyorquina, sino la interioridad de su protagonista poético. Así lo indican los epígrafes antes analizados y el contenido de la mayor parte de los poemas. «Un poeta que soy yo», como dice el autor en su Conferencia-recital[1], «Federico García Lorca, a la orilla de este lago», según afirma en uno de los versos de «Poema doble del lago Eden», tachado posteriormente en el manuscrito[2]. Un protagonista que se hace igualmente evidente en los dibujos de Lorca de esa época, donde abundan, más que en ninguna otra etapa de su producción, los autorretratos. Éstos se diferencian de los realizados en años anteriores por la autenticidad y sencillez en el trazado de líneas con que se muestra el personaje central. Su figura es representada sin adoptar la apariencia de otros personajes[3] y de modo esquemático, reduciéndola a dos

---

[1] Edición de Eutimio Martín, *Poeta en Nueva York. Tierra y luna, op. cit.,* pág. 305.

[2] Original entregado por Lorca a Juan Marinello durante su estancia en La Habana y publicado por éste en la revista *Avance,* 15 de abril de 1930.

[3] Sobre otras representaciones del autor en sus dibujos, ver los ensayos de Rafael Santos Torroella, «Barradas-Lorca-Dalí: temas compartidos», y de Patrick Fourneret, «Dibujos de Lorca: soportes, técnicas y épocas», *Federico García Lorca. Dibujos,* Catálogo Exposición, *op. cit.,* págs. 39-55 y 69-85, respectivamente.

elementos esenciales, la cabeza y los brazos del autor. Normalmente aparece acompañada de un animal fabuloso, estrechamente ligado a ella[4] y que, a veces, suele recoger entre sus brazos[5].

Esta forma recurrente de mostrarse el poeta en sus dibujos de esta época podría ser comparable a la manera en que se presenta en sus creaciones poéticas neoyorquinas. También aquí aparece en primer plano, usando generalmente la primera persona de singular. Con la utilización de esta personal verbal, el autor se aleja de obras anteriores, como el *Romancero gitano*, donde la identidad del poeta se oculta tras la apariencia de otros personajes, en un proceso semejante al ocurrido en sus dibujos. En *Poeta en Nueva York*, por el contrario, el protagonista rechaza este ocultamiento para, en su lugar, «decir mi verdad de hombre de sangre», como afirma en «Poema doble del lago Edén». Esta verdad implica una manifestación de sus inclinaciones amorosas, según declara en esta misma composición:

---

[4] Para un detallado estudio de la significación de este animal fabuloso en los dibujos de Lorca de estos años, remitimos al análisis de Mario Hernández, «Ronda de los autorretratos con animal fabuloso y análisis de dibujos neoyorquinos», *Federico García Lorca. Dibujos, op. cit.*, págs. 85-115. Para este autor la figura de este animal «se identifica latamente con el Mal y la Muerte (...) pero ofrece rasgos suficientes como para sospechar que en varios de los autorretratos alude a la líbido del propio poeta y al ámbito de la homosexualidad, con la que se siente en dolorosa pugna. Por otro lado, a través de este terrible animal, que puede adquirir apariencias cambiantes, Lorca hallaba una imagen reconocible de lo humano instintivo, de esa "parte" del ser humano que una remota tradición filosófica y ascética reconoce como aquello que nos une a los animales, habitualmente asimilado a los impulsos sexuales. Esta bestia dormida en el hombre, según diría una simplificación extremosa, es la que, de acuerdo con esa tradición, debe ser domeñada, pues encarna los deseos irracionales. De ahí la pertinencia de la figura del domador en uno de los dibujos», pág. 96.

[5] Así aparece en el dibujo titulado «Autorretrato con un animal fabuloso abrazado», h. 1929-31, donde también se leen las letras «RRaaFAE», «con el añadido de una cuádruple L, inscrita en las líneas de la cruz: Rafael». «Lorca ha destacado la A punzando por detrás y a su alrededor el papel con una aguja.» Mario Hernández, comentario explicativo de este dibujo, *op. cit.*, pág. 177.

«Pero no quiero mundo ni sueño, voz divina,
quiero mi libertad, mi amor humano
en el rincón más oscuro de la brisa que nadie quiera.
¡Mi amor humano!»

La expresión de este sentimiento es la faceta del protagonista que más relieve adquiere dentro de este poemario. La insistencia con que aparece es similar a la mostrada en sus autorretratos de esa época, donde el animal fabuloso, encarnación de este sentimiento, está siempre
presente. *Poeta en Nueva York* podría ser, por tanto, el co-
rrelato poético de estas creaciones, como lo es *El público*
en su producción teatral[6]. En 1929-30, Lorca se enfrenta
a sus vivencias amorosas con una libertad nueva dentro
de su obra, empleando en su expresión diferentes perspectivas o puntos de vista. Estas distintas aproximacio-
nes en *Poeta en Nueva York* se concretan en diversas voces
poéticas, mientras en *El público,* dan vida a numerosos
personajes que encarnan las distintas facetas de esa «fuerza oculta», verdadera protagonista de la obra[7].

La voces o perspectivas poéticas que aparecen en las
creaciones neoyorquinas son fundamentalmente tres.
Una «angustiada», que llena las páginas de este poemario
y que sirve para manifestar la situación actual del protagonista y sus amargas experiencias pasadas. Otra «libertada»[8], por la que manifiesta con atrevimiento sus deseos

---

[6] Entre la creación dibujística de García Lorca y su obra literaria parece haber una gran coherencia, como tratamos de esbozar en nuestro ensayo, «Líneas
de una biografía», aparecido en el mencionado catálogo, *Federico García Lorca.
Dibujos,* págs. 55-63.

[7] El Hombre 1, Hombre 2, Hombre 3, Elena, el Emperador, los distintos
Caballos, y el Desnudo Rojo, son facetas diferentes de este sentimiento amoroso, compartido por Enrique y Gonzalo, personajes que no aparecen físicamente
en el desarrollo de la obra. Para un análisis más detallado de estos aspectos, remitimos a nuestra Introducción de *El público,* en editorial Cátedra, ya citada, y al
artículo *«Poeta en Nueva York* y *El público,* dos obras afines»*, Ínsula,* números 476-477, pág. 9.

[8] Vocablo utilizado por el autor en «Poema doble del lago Eden», donde

amorosos, y por último, otra «solidaria», con la que expresa su comprensión hacia los que sufren y su denuncia ante situaciones no solidarias[9]. Las dos primeras recogen el sentimiento individual del poeta, y por tanto, aparecen en primera persona del singular, mientras la tercera utiliza generalmente el plural como expresión de la solidaridad del protagonista. «Porque *queremos* que se cumpla la voluntad de la Tierra / que da sus frutos para todos»[10]. Las tres voces están íntimamente ligadas, ya que todas parten de una misma intimidad dolorida, que plasma así las distintas facetas de su personalidad[11]. El poeta proyecta en el negativo símbolo neoyorquino su propio dolor, a la vez que se identifica con las situaciones de insolidaridad denunciadas, al ser su sufrimiento de hoy consecuencia de una situación semejante, como afirma en el poema «Tu infancia en Menton».

> «Es la niñez del mar y tu silencio
> donde los sabios vidrios se quebraban.
> Es tu yerta ignorancia donde estuvo
> mi torso limitado por el fuego.
> Norma de amor te di, hombre de Apolo,
> llanto con ruiseñor enajenado,

---

afirma: «No, no. Yo no pregunto, yo deseo, / voz mía libertada que me lames las manos.»

[9] Esta diversidad de perspectivas en el protagonista poético fue planteada en 1979 en nuestro artículo «Voces poéticas de un poeta en Nueva York», *Nueva Estafeta* (núms. 9-10, agosto-septiembre) síntesis del trabajo realizado en la Universidad de Harvard, bajo la dirección de Stephen Gilman.

[10] «Grito hacia Roma.» El subrayado es nuestro.

[11] Esta diversidad de facetas en el protagonista aparece también en sus dibujos, donde son característicos los rostros superpuestos. Uno de ellos en actitud negativa, llorando, con los ojos cerrados o sin pupilas. El autor declaraba al entregar uno de estos dibujos: «Te voy a dar mi autorretrato... La capacidad del hombre para llorar y reír», según nos refirió personalmente Manuel García Viñolas, a quien Lorca en 1933 le regaló una creación de este tipo, con motivo de la representación en Murcia de *La vida es sueño* por el grupo teatral «La Barraca».

> pero, pasto de ruina, te afilabas
> para los breves sueños indecisos.»

El protagonista ha sido víctima de una traición amorosa anterior[12], y este sufrimiento le permite comprender a los que padecen cualquier tipo de injusticia. Su voz solidaria no surge, por tanto, únicamente de un fondo social, como pudiera desprenderse de sus denuncias a la ciudad neoyorquina, sino que está estrechamente ligada a su propia situación como individuo. De ahí, que el poeta se sienta también solidario con todos aquellos que, como él, sufren psicológicamente[13].

> «No es sueño la vida. ¡Alerta! ¡Alerta! ¡Alerta!
> Nos caemos por las escaleras para comer la tierra húmeda
> o subimos al filo de la nieve con el coro de las dalias muer-
> Pero no hay olvido ni sueño: [tas
> carne viva. Los besos atan las bocas
> en una maraña de venas recientes
> y al que le duele su dolor le dolerá sin descanso
> y el que teme la muerte la llevará sobre los hombros»[14].

La liberación de estos seres que padecen va emparejada con la del protagonista poético, como lo manifiesta en la «Oda a Walt Whitman». En ella relaciona la figura de este poeta norteamericano (símbolo para Lorca de una necesaria libertad amorosa) con su deseo de cambio para los negros neoyorquinos.

---

[12] El pasado está claramente indicado en los verbos de los versos citados, donde el poeta habla de una vivencia anterior, «se quebraban», «estuvo», «te di», «te afilabas».

[13] La solidaridad del protagonista en esta obra va desde el entorno concreto neoyorquino (los negros de Harlem, el mundo natural atacado por la técnica) hasta los que sufren por su sentimiento amoroso («Oda a Walt Whitman») o los que padecen la mayor insolidaridad posible, la de la Iglesia católica hacia sus fieles («Grito hacia Roma»).

[14] «Ciudad sin sueño (Nocturno del Brooklyn Bridge)». El subrayado es nuestro.

Federico.

1934

Mejico- Madrid

ODA A WALT WHITMAN

«Duerme: no queda nada.
Una danza de muros agita las praderas
y América se anega de máquinas y llanto.
Quiero que el aire fuerte de la noche más honda
quite flores y letras del arco donde duermes,
y un niño negro anuncia a los blancos del oro
la llegada del reino de la espiga.»

Pero, a la vez, el poeta une la exaltación del amor homosexual, encarnado en Whitman, con su propia liberación como individuo. «Porque es justo que el hombre no busque su deleite / en la selva de sangre de la mañana próxima.» «Puede el hombre, si quiere, conducir su deseo / por vena de coral o celeste desnudo»[15]. Esta voz libertada, característica de sus creaciones de 1929-30, nace de la misma situación de extremo sufrimiento que dio origen a su voz solidaria. El poeta se anega en un inmenso dolor, y de ahí que reclame con vehemencia su libertad amorosa, como afirma en el poema «Tu infancia en Menton». «¡Oh, sí! Yo quiero. ¡Amor, amor! Dejadme».

A través de su voz angustiada el protagonista explica los matices de este dolor actual, que le lleva a concebir un mundo de muerte a partir de la ciudad neoyorquina. El proceso de destrucción concluye en un universo de huecos[16], donde él mismo es una «piel seca de uva negra», como dice en el poema «Nocturno del hueco». En esta composición, el poeta vuelve a tratar este tema, reflejo de la oquedad existente en el alma del protagonista por la destrucción de un amor pasado.

---

[15] Para un análisis más exhaustivo de la relación Lorca-Walt Whitman, remitimos a nuestro estudio de *Poeta en Nueva York* en editorial Taurus, ya citado.

[16] Este mundo de seres vacíos es aludido en el poema «1910 (Intermedio)», escrito en Nueva York, en agosto de 1929, donde afirma:

«No preguntarme nada. He visto que las cosas
cuando buscan su curso encuentran su vacío.
Hay un dolor de huecos por el aire sin gente
y en mis ojos criaturas vestidas ¡sin desnudo!»

«Para ver que todo se ha ido
dame tu mudo hueco, ¡amor mío!
Nostalgia de academia y cielo triste.
¡Para ver que todo se ha ido!

Dentro de ti, amor mío, por tu carne,
¡qué silencio de trenes boca arriba!,
¡cuánto brazo de momia florecido!
¡qué cielo sin salida, amor, qué cielo!
(..........)
Mira formas concretas que buscan su vacío.
Perros equivocados y manzanas mordidas.
Mira el ansia, la angustia de un triste mundo fósil
que no encuentra el acento de su primer sollozo.
(..........)
Para ver que todo se ha ido,
¡amor inexpugnable, amor huido!
No, no me des tu hueco,
¡que ya va por el aire el mío!» [17].

Ante este dolor actual, el poeta añora las vivencias felices de su infancia [18], y quiere trasladar a ese tiempo inalte

---

[17] La presencia de un mismo tema en diferentes poemas testimonia la coherencia interior de estas composiciones, como sucede con el tema de lo hueco en
las creaciones «1910 (Intermedio)» y «Nocturno del hueco», que pertenecerían,
según los defensores de la escisión de estos poemas, a libros distintos. Esta unidad la expresa el mismo Lorca en esta última composición, donde relaciona el
hueco de los seres que lo rodean («Mira formas concretas que buscan su vacío.
/ ... / Mira el ansia, la angustia de un triste mundo fósil / que no encuentra el
acento de su primer sollozo») con los huecos de su «amor huido» y del propio
protagonista. Éste se ve a sí mismo desde dentro («Yo. / Mi hueco traspasado
con las axilas rotas») y en el escenario neoyorquino («Rodeado de espectadores
que tienen hormigas en las palabras»).

[18] El entorno granadino es aludido en la composición «1910 (Intermedio)»,
donde el poeta compara sus amargos días actuales con los felices tiempos de su
niñez en «1910», cuando el autor contaba doce años.

«Aquellos ojos míos de mil novecientos diez
no vieron enterrar a los muertos,
ni la feria de ceniza del que llora por la madrugada,
ni el corazón que tiembla arrinconado como un caballito de mar.

rable de la niñez, común a la persona amada y a él mismo, los recuerdos dichosos de aquel amor pasado. Así lo indica en el poema «Tu infancia en Menton», donde el protagonista intenta encontrar a su antiguo compañero, dentro de «tu máscara pura de otro signo», «tu alma tibia sin ti que no te entiende». Si consiguiera hallarla, «allí, león, allí, furia del cielo», la dejaría «pacer en mis mejillas; / allí, caballo azul de mi locura, / pulso de nebulosa y minutero», transportándola a la infancia, donde de nuevo sería posible la pasada realización amorosa.

> «Si tu niñez: ya fábula de fuentes.
> Alma extraña de mi hueco de venas,
> te he de buscar pequeña y sin raíces»[19].

El poeta añora también la presencia de un hijo que, como fruto de una relación heterosexual, le habría evitado el dolor presente, según afirma en la composición «Iglesia abandonada (Balada de la Gran Guerra)».

He golpeado los ataúdes. ¡Mi hijo! ¡Mi hijo! ¡Mi hijo!
Saqué una pata de gallina por detrás de la luna, y luego,

> Aquellos ojos míos de mil novecientos diez
> vieron la blanca pared donde orinaban las niñas,
> el hocico del toro, la seta venenosa
> y una luna incomprensible que iluminaba por los rincones
> los pedazos de limón seco bajo el negro duro de las botellas.»

[19] La infancia, como etapa de la vida que consuela el dolor del protagonista, es uno de los temas esenciales de la composición «El niño Stanton», donde afirma:

> «Cuando me quedo solo
> me quedan todavía tus diez años
> (. . . . . .)
> Stanton. Hijo mío. Stanton,
> (. . . . . .)
> Tus diez años serán las hojas
> que vuelan en los trajes de los muertos.
> Diez rosas de azufre débil
> en el hombro de mi madrugada.»

comprendí que mi niña era un pez
por donde se alejan las carretas.
Yo tenía una niña.
Yo tenía un pez muerto bajo la ceniza de los incensarios.
(..........)
Yo tenía un hijo que era un gigante,
pero los muertos son más fuertes y saben devorar pedazos de
Si mi niño hubiera sido un oso,   [cielo.
yo no temería el sigilo de los caimanes,
ni hubiese visto el mar amarrado a los árboles
para ser fornicado y herido por el tropel de los regimientos.
¡Si mi niño hubiera sido un oso»[20].

Las perspectivas, desde las que el protagonista se aproxima a su dolorido sentimiento amoroso, son múltiples,
ya que también lo eran las posibilidades que el haber convertido el entorno neoyorquino en una «ciudad mundo»
ofrecía al autor. Sin embargo, la reflexión del poeta en
esta obra no se agota en su mirada hacia su interioridad y
hacia el mundo que le rodea, sino que también incluye
una recapitulación sobre su labor poética[21]. Para su nuevo mundo literario, al autor ya no le eran válidas «la burla y la sugestión del vocablo» de obras anteriores, vién-
dose obligado a optar entre la «Poesía pura. Poesía impura. / Vana piruetada, periódico desgarrado. / Torre de

---

[20] En esta creación el autor relaciona su sentimiento amoroso con la imagen
del «pez muerto», estableciendo una doble conexión, indicada ya en el doble título del poema. La muerte del posible hijo que habría podido tener el poeta se
liga al sacrificio incruento del Hijo de Dios en la Misa, y también al de otros
muchos hijos, fallecidos en la Gran Guerra, donde «vi la transparente cigüeña
de alcohol / mondar las negras cabezas de los soldados agonizantes». La alusión
al Sacrificio de Cristo y la imagen del pez muerto aparecen también en *El público*, como se analiza en el apartado «La fuerza del amor» de nuestra Introducción,
ya citada.

[21] Esta reflexión sobre su trabajo como creador se encuentra asimismo en
El público, donde su consideración sobre el teatro es uno de los temas funda-
mentales de la obra, junto al tema del amor. Sobre este aspecto, ver el apartado
«Teatro al aire libre y teatro bajo la arena» de nuestra Introducción a esta pieza.

satélite donde se entrechocan las palabras / y aurora lisa que flota con la angustia de lo exacto»[22]. El poeta elegirá la poesía impura, acercándose al movimiento superrealista, que le permitirá expresar con la libertad requerida su dolor actual.

---

[22] Versos pertenecientes al manuscrito de «Poema doble del lago Eden», publicado por Juan Marinello en la revista *Avance,* antes mencionada.

La presencia superrealista

García Lorca, al igual que otros miembros de su grupo
poético, se aproximó al credo superrealista[1], haciendo
suyos varios de los aspectos defendidos por este movimiento. Como consecuencia de este contagio, en su creación de 1929-30, *Poeta en Nueva York,* se produce una serie de cambios que transforman su expresión poética en
relación a obras anteriores, como el *Romancero gitano.* Su
verso se alarga, el léxico y la imaginería ya no reflejan el
mundo sensorial andaluz, sino que ahora aparece un nuevo tratamiento de los temas. Como afirma el autor en la
entrevista anteriormente citada de 1931, «Ahora veo la
poesía y los temas con un juego nuevo. Más lirismo dentro de lo dramático. Dar más patetismo a los temas. Pero
un patetismo frío y preciso, puramente objetivo»[2].

Este nuevo tratamiento provoca la aparición de una
perspectiva esencialmente lírica, expresada a diferencia
del *Romancero* en primera persona, que cristaliza en la figura del protagonista poético. «Un poeta que soy yo»,

---

[1] Aleixandre, Cernuda y Alberti, además de Juan Larrea y José María de Hi-
nojosa, entre otros, se sintieron atraídos, hacia 1927-29, por el grupo francés,
que también habría incidido poderosamente en los autores catalanes, capitanea-
dos por Salvador Dalí. Para un análisis detallado de este contexto, remitimos a
nuestro estudio *En torno a la estética superrealista: Algunos aspectos estilísticos de la
Generación del 27,* tesis doctoral, Madrid, Universidad Complutense, 1978.

[2] Entrevista realizada por Gil Benumeya, «Estampa de García Lorca», ya
citada.

como manifiesta el autor en su conferencia-recital sobre *Poeta*. También da lugar al «símbolo patético: sufrimiento» en que queda convertido Nueva York, donde, de modo «frío y preciso, puramente objetivo», se proyecta el dolor del protagonista[3].

La libertad en la expresión, promovida por el grupo francés, incide igualmente en esta obra, donde se manifiesta, con una franqueza inédita hasta ahora, el mundo interior del protagonista. El poeta se aproxima a su palabra, haciendo desaparecer los personajes intermediarios del *Romancero gitano*. Su sentimiento amoroso domina los versos de este poemario, con una insistencia semejante a la manifestada por los superrealistas franceses en muchas de sus obras, como *L'Amour fou* de André Breton, *L'Amour, la poésie* de Paul Eluard, o *La liberté ou l'amour* de Robert Desnos. La imaginería utilizada en *Poeta en Nueva York* también se contagia de esta influencia. Su mayor grado de ilogicismo dificulta su adjudicación a un referente concreto, lo que obstaculiza la comprensión de sus versos. La máxima superrealista, de que la creación artística debe asombrar al receptor mediante la unión de elementos hasta ahora no conjugados, se deja sentir asimismo en este libro. Muchos de sus versos responden a este precepto, como sucede en los que a continuación citamos, extraídos, entre otros muchos ejemplos, de los poemas «Paisaje con dos tumbas y un perro asirio», «El niño Stanton» y «Ciudad sin sueño», respectivamente.

«No importa que estés lleno de agua de mar.
Yo amé mucho tiempo a un niño
que tenía una plumilla en la lengua
y vivimos cien años dentro de un cuchillo.»

---

[3] Ambos aspectos han sido tratados más ampliamente en los apartados anteriores, dedicados a los diferentes elementos que intervienen en la configuración de esta obra, la ciudad y el poeta.

«Hay nodrizas que dan a los niños
ríos de musgo y amargura de pie
y algunas negras suben a los pisos para repartir filtro de rata.»

«A los que guardan todavía huellas de zarpa y aguacero,
a aquel muchacho que llora porque no sabe la invención del puente
o a aquel muerto que ya no tiene más que la cabeza y un zapato[4],»

Sin embargo, a pesar del alto grado de ilogicismo de estos versos, el existente en *Poeta en Nueva York* en su conjunto no es comparable, ni al de las creaciones francesas, ni al derrochado por algunos autores del contexto español como Vicente Aleixandre. La obra de Lorca está sometida a una configuración lógica, claramente palpable en la «estructura externa» del libro derivada de los títulos de sus secciones, como ya vimos. Pero también es evidente en el contenido de sus poemas, donde unos mismos temas se repiten, a veces bajo perspectivas distintas, en diferentes composiciones. La visión de la ciudad, o la expresión del sentimiento amoroso del protagonista, no se agotan en una sola creación, sino que están esparcidas a lo largo de todo el poemario, proporcionándole una coherencia interna difícilmente discutible[5].

Las distintas perspectivas que contiene el tema de la gran ciudad, y las diferentes voces poéticas con que el protagonista habla sobre sí mismo y sobre el mundo en que vive, tienen un núcleo común: la interioridad del

---

[4] Para un estudio más exhaustivo de la influencia del superrealismo francés en esta obra de Lorca, remitimos a nuestro análisis sobre *Poeta en Nueva York* de editorial Taurus, mencionado con anterioridad.

[5] Para la comprensión de cualquier tema de esta obra hemos de considerarla en su conjunto, ya que los poemas se explican y se complementan mutuamente. Así, el tratamiento exhaustivo del tema de la oquedad en la composición «Nocturno del hueco» ya analizado justifica las distintas referencias a ese mundo esparcidas en el resto de los poemas, haciendo mucho más comprensibles sus contenidos. Esta misma característica se repite en casi todos los temas de esta obra, por lo que se hace necesario un análisis global para su correcta interpretación.

poeta, que aplica un mismo sistema de valores al referirse a su mundo íntimo y al universo que le rodea[6]. El sufrimiento del poeta no sólo da pie a las amargas composiciones en que el protagonista habla sobre su situación individual. También está presente en la visión negativa de Nueva York, y en su actitud solidaria hacia los que sufren. En estas creaciones el poeta recapacita sobre su estado actual[7] y su reflexión, como proceso lógico, es en cierta medida incompatible con la escritura automática promovida por los superrealistas franceses. Sin embargo, el fondo lógico que rige esta obra no impide que el autor haya elegido como vehículo expresivo una imaginería mucho más incoherente que en producciones anteriores, cuyo ilogicismo a veces se intensifica en series de versos de mayor dificultad interpretativa[8].

Este mayor grado de ilogicismo es contrarrestado en el interior de los poemas por un armazón lógico que rige la composición. Este entramado puede adquirir formas distintas, que irían, desde la misma estructura narrativa, hasta las repeticiones, el desarrollo de una imagen, los falsos silogismos o las fórmulas gongorinas[9]. El poeta somete a estas disposiciones lógicas el ilogicismo de sus

---

[6] Como hemos visto, el protagonista reclama una mayor libertad y solidaridad para sí mismo, y para los seres que padecen una situación injusta, en nombre de una misma necesidad de amor y comprensión en el universo.

[7] En esta obra, como analizamos anteriormente, el protagonista se plantea su posición en el mundo desde una triple dimensión, como hombre, como poeta, y en relación con el universo en que vive.

[8] Esta dicotomía existente en *Poeta en Nueva York*, entre las reflexiones del protagonista y el ilogicismo de sus imágenes, aparece también en su obra coetánea *El público*. En ella el autor une sus pensamientos sobre el teatro y sobre sí mismo a la incoherencia intencionada que domina la pieza. Sobre este aspecto, ver el apartado «Contagio superrealista. Cocteau» de nuestra Introducción a esta última obra, ya citada.

[9] Para una explicación más detenida de estos distintos modos de vertebración lógica, existentes en las composiciones de *Poeta en Nueva York*, también remitimos a nuestro estudio de esta obra en editorial Taurus, anteriormente mencionado.

imágenes, conjugando así realidades a veces totalmente dispares, pero unidas por esa vertebración lógica que coordina la composición. Como ejemplo de la coherencia interna que se deriva de este armazón, transcribimos parte de la composición «Panorama ciego de Nueva York», subrayando los elementos que lo configuran.

Si no son los pájaros
cubiertos de ceniza,
si no son los gemidos que golpean las ventanas de la boda,
serán las delicadas criaturas del aire
que manan la sangre nueva por la oscuridad inextinguible.
Pero no, no son los pájaros,
porque los pájaros están a punto de ser bueyes.
Pueden ser rocas blancas con la ayuda de la luna,
y son siempre muchachos heridos
antes de que los jueces levanten la tela.

Todos comprenden *el dolor* que se relaciona con la muerte
pero el verdadero *dolor no está* presente en el espíritu.
No está en el aire, ni en nuestra vida,
ni en estas terrazas llenas de humo.
El verdadero dolor que mantiene despiertas las cosas
es una pequeña quemadura infinita
en los ojos inocentes de los otros sistemas.

Un traje abandonado *pesa tanto* en los hombros,
que muchas veces el cielo los agrupa en ásperas manadas;
y las que mueren de parto *saben* en la última hora
que todo rumor será piedra y toda huella, latido.
Nosotros *ignoramos que* el pensamiento tiene arrabales
donde el filósofo es devorado por los chinos y las orugas
y algunos niños idiotas *han encontrado* por las cocinas
pequeñas golondrinas con muletas
que sabían pronunciar la palabra amor.»

En estos versos aparecen dos tipos de entramado lógico, repartidos entre las tres series en que esta parte de la composición. El primer conjunto, formado por diez versos, se articula alrededor de dos fórmulas gongorinas; «Si no A, B», y «No A, B», separadas por un punto que cierra los cinco primeros versos:

«Si no ....
....
si no ....
serán ....
....,
Pero no, no son ....
....
Pueden ser ....
y son ....
......................................»

La siguiente serie, constituida por siete versos, repite la segunda fórmula gongorina citada, «No A, B», pero distribuida a lo largo del conjunto.

«..... el dolor ....
...... el dolor no está ....
No está ....
ni ....
El verdadero dolor ....
es ....
......................................»

Y por último, en la tercera serie este modo de vertebración lógica ha desaparecido. En su lugar, se establece una oposición entre los verbos «saber» e «ignorar», que divide este conjunto de nueve versos en dos partes, separadas por un punto al final del cuarto verso, después de la aparición del verbo saber. Coordinadas a cada uno de estos verbos a través de una conjunción copulativa, aparecen otras dos oraciones, que no guardan relación alguna con los verbos citados, ni tampoco ellas mismas entre sí.

« . . . . . . que pesa tanto . . . .
que . . . .
y . . . . . . saben . . . .
que . . . .
. . . . . . ignoramos que . . . .
. . . .
y . . . . . . han encontrado . . . .
. . . .
. . . .»

El entramado lógico de este poema ha ido amortiguándose paulatinamente, conforme avanza el desarrollo de su trama. Las dos fórmulas gongorinas de la primera serie se convierten en una en el segundo conjunto, para terminar diluyéndose en una oposición entre dos verbos en la tercera serie. Esta disminución de su estructura lógica, mucho más fuerte al comienzo del poema, se corresponde con la distribución de su contenido, que arranca de la parte más denotativa de la pieza. Su título, «Panorama ciego de Nueva York», promueve esta presencia lógica, que va desapareciendo según discurre el poema, para concluir en la tercera parte en unos versos que únicamente aluden al problema amoroso debatido en la obra.

«y algunos niños idiotas han encontrado por las cocinas
pequeñas golondrinas con muletas
que sabían pronunciar la palabra amor.»

La coherencia interna de estos versos es absoluta, aunque las imágenes utilizadas guarden un alto grado de ilogicismo. Sin embargo, su armazón lógico permite seguir fácilmente el desarrollo de su trama, que une los dos temas esenciales de la obra, la ciudad y el poeta. Ejemplos semejantes, aunque con estructuras lógicas distintas, se repiten constantemente a lo largo de este poemario, apartándolo así de la ortodoxia superrealista. En sus versos están mezcladas las influencias de este grupo con una gran lógica interna, de modo semejante a como en el contenido de sus poemas quedaban vinculados la visión del mundo neoyorquino con el universo íntimo de su protagonista poético.

Esta edición

Por razones anteriormente señaladas, en esta edición tomamos como texto base el publicado por Norton, aunque contrastado con otras transcripciones del poemario, especialmente la ofrecida por la editorial Séneca. Seguimos, por tanto, la distribución existente en estas dos ediciones, cuya única diferencia estructural radica en la colocación del poema «La aurora». En este punto, y por motivos de índole interpretativa (señalados en la exégesis del poema) recogemos la versión Séneca, colocando esta composición al final de la sección III, «Calles y sueños».

Asimismo, incluimos el poema en prosa «Amantes asesinados por una perdiz» como «quinto poema» de la sección VI, según consta en la hoja recordatorio transcrita por Humphries. Esta página indica claramente la voluntad del autor, cuya intención en 1935-36 de integrar este poema en prosa en *Poeta en Nueva York* es evidente. Este objetivo se ve respaldado por las similitudes existentes entre esta creación y el resto del poemario, especialmente la composición «Luna y panorama de los insectos (Poema de amor)» como ya vimos. Sin embargo, la excesiva presencia narrativa en «Amantes» y su menor grado de elaboración poética, distancian este poema en prosa del resto de la obra. No obstante, la clara intención de Lorca en 1935-36, y las semejanzas con el resto de las composiciones, justifican su presencia en esta edición, que tiene como principal objetivo el ser fiel a las últimas intenciones de su autor, según los datos que hoy conocemos.

Esta misma voluntad nos ha llevado a incluir, también por vez primera en una edición de *Poeta en Nueva York*, las dieciocho ilustraciones referidas por Humphries. Su integración en el poemario se ha realizado según el orden señalado por este autor y de acuerdo con el contenido de los diferentes poemas y secciones, como igualmente indicamos con anterioridad. El haber podido incluirlas siguiendo este orden demuestra la intervención de Lorca en el plan general de la obra, transcrito posteriormente por las ediciones Norton y Séneca.

Cada una de las creaciones de este poemario aparece seguida de una breve historia textual y de una relación de variantes, que explica la fijación del poema con respecto a otras versiones. En especial, a la editada por Séneca, y a las existentes en los manuscritos hoy conservados en la Fundación García Lorca. A continuación incluimos un «Apéndice» con una paráfrasis de cada poema y de las diferentes secciones. Esta explicación no pretende ser exhaustiva, ya que solamente trazamos las líneas fundamentales de esta obra, con el fin de hacer más comprensible su contenido, especialmente complejo. De este modo, aparecen unidos en esta edición la exégesis literaria y el análisis textual, como elementos necesarios para un correcto entendimiento de sus versos.

Bibliografía

Problema textual (expuesto en orden cronológico)

Martín, Eutimio, «¿Existe una versión definitivo de *Poeta en Nueva York* de Lorca?», *Ínsula*, núm. 310, 1972, págs. 1-10.

— *Contribución à l'étude du cycle poétique newyorkais: Poeta en Nueva York, Tierra y Luna et autres poèmes* (Essai d'édition critique) Universidad de Poitiers, 1974.

Menarini, Piero, *Poeta en Nueva York, di Federico García Lorca. Lettura critica*, Florencia, La Nuova Italia, 1975.

Martín, Eutimio, «*Tierra y luna:* ¿un libro adscrito abusivamente a *Poeta en Nueva York?*», *Trece de Nieve*, segunda época, 1-2 (diciembre de 1976) págs. 125-31.

Eisenberg, Daniel, *Poeta en Nueva York: historia y problemas de un texto de Lorca*, Barcelona, Ariel, 1976.

García Posada, Miguel, reseña de D. Eisenberg, *Poeta en Nueva York...*, *Ínsula*, 367 (junio de 1977) pág. 10.

Harris, Derek R., reseña de D. Eisenberg, *Poeta en Nueva York...*, *Bulletin of Hispanic Studies*, LV (1978) págs. 169-70.

Hernández, Mario, «Notas al texto: *Poeta en Nueva York*», en F. García Lorca, *Antología poética*, Madrid, Alce, 1978, págs. 135-50.

Menarini, Piero, «*Poeta en Nueva York* y *Tierra y luna:* dos libros aún "inéditos" de García Lorca», *Lingua e Stile*, XIII, 1978, págs. 283-93.

Denis, N., «On the First Edition of Lorca's *Poeta en Nueva York*», *Otawwa Hispanica*, I, 1979, págs. 47-83.

Millan, María Clementa, «Hacia un esclarecimiento de los poemas americanos de Federico García Lorca *(Poeta en Nueva York* y otros poemas)», *Ínsula*, núm. 431, págs. 1, 14 y 16, y núm. 434, pág. 2.

Anderson, Andrew A., «Lorca's *New York Poems:* a Contribution to the Debate», *Forum for Modern Languages Studies*, XVII (1981) págs. 256-70.

Belamich, A., «*Poète à New York:* Notice», en Federico García Lorca, *Oeuvres complètes*, vol. 1, París, Gallimard, 1981, págs. 1461-1507.

ANDERSON, Andrew A., «García Lorca en Montevideo: Un testimonio desconocido y más evidencia sobre la evolución de *Poeta en Nueva York*», *Bulletin Hispanique*, 83, 1981, págs. 145-61.

MARTÍN, Eutimio, Introducción a *Federico García Lorca, Poeta en Nueva York. Tierra y luna*, Barcelona, Ariel, 1981, págs. 9-106.

GARCÍA-POSADA, Miguel, *Lorca: interpretación de Poeta en Nueva York*, Madrid, Akal, 1981.

— Notas al texto a *Poeta en Nueva York y Tierra y luna, Federico García Lorca, Poesía 2*, Madrid, Akal, 1982, págs. 710-38.

ANDERSON, Andrew A., «The Evolution of García Lorca's Poetic Projects 1929-36 and the Textual Status of *Poeta en Nueva York*», *Bulletin of Hispanic Studies*, LXI, 1983, págs. 221-244.

MAURER, Christopher, «En torno a dos ediciones de *Poeta en Nueva York*», *Revista Canadiense de Estudios Hispánicos*, vol. IX, núm. 2, invierno de 1985, págs. 251-256.

ANDERSON, Andrew A., *«Poeta en Nueva York* una y otra vez», *Crotalón*, núm. 2, 1986, págs. 37-51.

MILLÁN, María Clementa, «Sobre la escisión o no de *Poeta en Nueva York*», *Crotalón*, núm. 2, 1986, págs. 124-145.

HERNÁNDEZ, Mario, ««Introducción» a *Federico García Lorca, Poeta en Nueva York*, Madrid, Fundación Banco Exterior, 1987.

ANÁLISIS LITERARIO

ALBERTI, Rafael, *«Poeta en Nueva York»*, *Sur*, X, núm. 75, Buenos Aires, 1940, págs. 147-151, reproducido en *Prosas encontradas*, edición de Robert Marrast, Madrid, Ayuso, 1970.

ALLEN, Rupert Jr., «Una explicación simbológica de "Iglesia abandonada" de Lorca», *Hispanófila*, IX, núm. 26, 1966, págs. 33-44.

— *The Symbolic World of Federico García Lorca*, Alburquerque, New México University Press, 1972.

ÁÑEZ, N., «Interpretación de algunos aspectos de *Poeta en Nueva York*», *Anuario de Filología*, núm. 4, Maracaibo, 1965.

BAREA, Arturo, *Lorca, the poet and his people*, Harcourt, Brace, Nueva York, 1949.

BARTRÁ, Agustín, «New York: two poetic impressions», *Las Américas*, núm. 18, Nueva York.

BOSCÁN DE LOMBARDI, L., «La muerte en *Poeta en Nueva York*», *Anuario de Filología*, Maracaibo, 1969-70, págs. 241-256.

BRICKELL, H., «A Spanish Poet in New York», *Virginia Quaterly Review*, XXI, núm. 3, 1945, págs. 386-398. Traducido en «Un poeta español en Nueva York», *Asomante*, II, núm. 1, San Juan, Puerto Rico, 1946.

CARDOZA Y ARAGÓN, Luis, «Federico en Nueva York», *Romance,* I, núm. 13, México, 1940, págs. 1-2; *Centro América,* núm. 37, San Salvadord, 1940.

CARTEY, Wilfred, «Four shadows of Harlem», *Negro Digest,* X, número 18.

CORREA, Gustavo, «Significado de *Poeta en Nueva York* de Federico García Lorca», *Cuadernos Americanos,* México, diciembre de 1958, págs. 224-233.

CRAIGE, Betty Jean, *Lorca's Poet in New York, The fall into Consciousness,* Lexington, The University Press of Kentucky, 1976.

EISENBERG, Daniel «Dos textos primitivos de *Poeta en Nueva York»,* *Papeles de Son Armadans,* núms. CCXXI-II, Madrid-Palma de Mallorca, agosto-septiembre de 1974, págs. 169-174.

FLYS, Jaroslaw, *«Poeta en Nueva York* (La obra incomprendida de Federico García Lorca)»*, Arbor,* núm. 114, Madrid, 1955, páginas 247-257.

FRANCO GRANDE, José Luis; LANDEIRA YRAGO, José, «García Lorca en Galicia», *Ínsula,* núm. 339, Madrid, febrero de 1975, pág. 3.

FRANCONIERI, Francesco, «Lorca, New York e il surrealismo», *Vita e pensiero,* XLVI, Milán, 1963, págs. 192-199.

GARCÍA POSADA, Miguel, *Lorca: interpretación de Poeta en Nueva York,* Madrid, Akal, 1981.

— «La ciudad de los muertos: un tema común a Baudelaire y Lorca», *1616, Anuario de la Soc. Española de Lit.ª Gen. y Comparada,* 1, páginas 109-118.

GÓMEZ, M. A., «El poeta en Nueva York», *Argentina libre,* Buenos Aires, 7 de noviembre de 1940.

GUIRAO, J., *Órbita de la poesía afrocubana,* La Habana, 1938.

GULLÓN, Ricardo, «Lorca en Nueva York», *La Torre,* V, páginas 161-170.

HARRIS, Derek, *García Lorca: Poeta en Nueva York,* Londres, Grant and Cutler, 1978.

HESS, Rainer, «García Lorca y Whitman», *Arbor,* LVIII, págs. 35-52.

HIGGINBOTHAM, Virginia, «Reflejos de Lautréamont en *Poeta en Nueva York»*, *Hispanófila,* núm. 46, septiembre de 1972, págs. 59-68.

ILIE, Paul, *The Surrealist Mode in Spanish Literature,* University of Michigan Press, Ann Arbor, 1968. Traducido, *Los surrealistas españoles,* Madrid, Taurus, 1972.

LACAU, María Hortensia, *«Poeta en Nueva York»,* *Cursos y Conferencias,* XI, Buenos Aires, 1943, págs. 452-457.

LAFFRANQUE, Marie, «Poète at public», *Europe,* núms. 616-617, páginas 115-127.

LARREA, Juan, «Asesinado por el cielo», *España Peregrina, I,* México,

1940, págs. 251-256; *Letras de México*, III, núm. 1, México, 1941.

LAUBENTHAL, Jones, *Prometeus, prophet and priest: an interpretation of García Lorca's Poet in New York in relationship to Walt Whitman's Leaves of grass*, tesis George Peabody, 1972.

MARCILLY, Charles, «Notes pour l'étude de la pensée religieuse de Federico García Lorca: "Crucifixión"», *Mélanges offerts à Marcel Bataillon, Bulletin Hispanique*, LXIV bis, 1962, págs. 507-525.

— *Ronde et fable de la solitude a New York. Prélude à «Poeta en Nueva York» de Federico García Lorca*, París, Ed. Hispanoamericaines, 1962.

— «Il faut passer les ponts», *Europe*, núms. 616-617, 1980, páginas 29-50.

MENARINI, Piero, «Emblemi mi ideologici del *Poeta en Nueva York*», *Lingua e Stile*, VII (1972) págs. 181-191.

— *Poeta en Nueva York di Federico García Lorca. Lettura critica*, Florencia, La Nuova Italia, 1975.

MILLÁN, María Clementa, *En torno a la estética superrealista: Algunos aspectos estilísticos de la Generación del 27*, tesis doctoral, Universidad Complutense, Madrid, 1978.

— *Poeta en Nueva York de Federico García Lorca, contexto y originalidad*, tesis doctoral, Universidad de Harvard, 1984.

MORRIS, C. B., *Surrealism and Spain (1920-1936)*, Cambridge, University Press, 1972.

PREDMORE, Richard, «Nueva York y la conciencia social de Federico García Lorca», *Revista Hispánica Moderna*, XXXV, págs. 32-40.

— *Lorca's New York Poetry. Social Injustice, Dark Love, Lost Faith*, Durham: Duke University Press, 1980, traducido en Taurus como *Los poemas neoyorquinos de Federico García Lorca*, 1981.

Río, Ángel del, «Introduction *Poet in New York:* Twenty-five years after», *Federico García Lorca: Poeta en Nueva York*. Ed. de Ben Belitt, Nueva York, Grove Press, 1955.

— *Poeta en Nueva York*, Madrid, Taurus, 1958.

— *Estudios sobre literatura española contemporánea*, Madrid, Gredos, 1967 («*Poeta en Nueva York*, pasados veinticinco años», págs. 251-292).

SÁEZ, Richard, «The ritual sacrifice in Lorca's *Poet in New York*», en Durán, Manuel, *Lorca. A Collection of critical essays*, Englewood Cliffs, N. J., Prentice-Hall, 1962, págs. 108-128.

SCARANO, T., «Constance espresive e messaggio in *Poeta en Nueva York* di Federico García Lorca», *Miscellanea di studi ispanici*, Pisa, Universitá di Pisa, 1971-73.

SCHWARTZ, K. A., «García Lorca and Vermont», *Hispania*, XLII, núm. 1, Appleton, 1959, págs. 50-55.

SESÉ, Bernard, «A propos de *Poeta en Nueva York*», *Les Langues Néo-latines,* núm. 160, París, abril de 1962, págs. 1-35.
— «Le sang dans l'univers imaginaire de Federico García Lorca», *Les Langues Néo-Latines,* núm. 165, págs. 2-43.
THUILLIER, Annie, *Essai d'analyse de «Poeta en Nueva York» de Federico García Lorca,* Fac. de Letras, Rouen (Mémoire de maître), 1970.
VIDAL, Hernán, «"Paisaje de la multitud que vomita", poema de ruptura de la visión mítica en García Lorca», *Romance Notes,* X, 1969, págs. 226-232.

EDICIONES DE *POETA EN NUEVA YORK»*

Primeras ediciones

The Poet in New York and other poems, Nueva York, W. W. Norton, mayo de 1940. Edición bilingüe español-inglés, traducida por Rolfe Humphries.
Poeta en Nueva York, México, Séneca, junio de 1940. Acompañada de un poema de Antonio Machado y prólogo de José Bergamín.
Poeta en Nueva York, Federico García Lorca. Obras completas, vol. VII, Buenos Aires, Losada, 1942.
Poet in New York, Nueva York, Grove Press, 1955, ed. bilingüe de Ben Belitt.

Ediciones actuales (ordenadas cronológicamente)

Federico García Lorca. Poeta en Nueva York. Tierra y luna, Barcelona, Ariel, 1981, ed. crítica de Eutimio Martín.
Poeta en Nueva York, F. García Lorca. Poesía, 2, Madrid, Akal, 1982, ed. y notas de Miguel García Posada.
Poeta en Nueva York, Federico García Lorca. Obras completas, vol. I, Madrid, Aguilar, 1986, ed. supervisada por Arturo del Hoyo.
Federico García Lorca. Poeta en Nueva York, Madrid, Fundación Banco Exterior, 1987, ed. y prólogo de Mario Hernández, ilustraciones de Juan Carlos Eguillor.

Poeta en Nueva York
(1929-1930)

A Bebé y Carlos Morla

Los poemas de este libro están escritos en la ciudad de Nueva York, el año 1929-1930, en que el
poeta vivió como estudiante en Columbia University[1].

---

[1] En la edición Norton este texto sólo aparece en inglés, sin mostrar el original castellano como sucede en el resto del poemario.

«ESTATUA DE LA LIBERTAD»

«Asesinado por el cielo.
Entre las formas que van hacia la sierpe
y las formas que buscan el cristal
dejaré crecer mis cabellos.»

I
Poemas de la soledad
en Columbia University

Furia color de amor
amor color de olvido.

LUIS CERNUDA.

VUELTA DE PASEO[1]

Asesinado por el cielo.
Entre las formas que van hacia la sierpe
y las formas que buscan el cristal,
dejaré crecer mis cabellos.

Con el árbol de muñones que no canta
y el niño con el blanco rostro de huevo.

Con los animalitos de cabeza rota
y el agua harapienta de los pies secos.

Con todo lo que tiene cansancio sordumudo
y mariposa ahogada en el tintero[2].

Tropezando con mi rostro distinto de cada día.
¡Asesinado por el cielo!

---

[1] Poema inédito en vida del autor, se conserva un autógrafo en los archivos de la Fundación García Lorca, fechado en «Bushnell Ville (ESU) 6 de Septiembre 1929». Aparece sin título, al igual que en la conferencia-recital, donde Lorca lo menciona por el primer verso. Entre los textos de este manuscrito *(Ms)* y los de las ediciones de Norton *(N)* y Séneca *(S)* sólo existen diferencias de puntuación, inexistente en Norton, a excepción de la admiración final. Seguimos la puntuación ofrecida en Séneca, excepto en el punto que cierra el verso primero, sobreentendido en el *Ms* por la utilización siguiente de mayúsculas, y no recogido ni en *N* ni en *S*. Su uso hace que el poema tenga una estructura más equilibrada, al coincidir este primer verso con el final de la composición.

[2] A continuación aparece tachado en el *Ms* el verso «Entre el gentío de las formas soy el único que busca». En este texto el poeta recoge uno de los temas esenciales del poemario, el de la «búsqueda» de una auténtica relación amorosa. Sin embargo, el verso fue tachado, probablemente, por la falta de continuación de este tema dentro de la composición.

1910
(INTERMEDIO)[1]

Aquellos ojos míos de mil novecientos diez
no vieron enterrar a los muertos,
ni la feria de ceniza del que llora por la madrugada,
ni el corazón que tiembla arrinconado como un caballito de mar.

Aquellos ojos míos de mil novecientos diez
vieron la blanca pared donde orinaban las niñas,
el hocico del toro, la seta venenosa
y una luna incomprensible que iluminaba por los rincones
los pedazos de limón seco bajo el negro duro de las botellas.

Aquellos ojos míos en el cuello de la jaca,
en el seno traspasado de Santa Rosa dormida,
en los tejados del amor, con gemidos y frescas manos,
en un jardín donde los gatos se comían a las ranas.

Desván donde el polvo viejo congrega estatuas y musgos.
Cajas que guardan silencio de cangrejos devorados.
En el sitio donde el sueño tropezaba con su realidad.
Allí mis pequeños ojos.

---

[1] De este poema se conserva un manuscrito en la Fundación García Lorca,
fechado en «Nueva York Agosto 1929». Las diferencias entre las ediciones
Norton y Séneca se reducen a signos de puntuación, inexistentes en Norton, a
excepción de la admiración final. En todas las series de versos seguimos la puntuación Séneca, a excepción de la cuarta donde reponemos la sobreentendida en
Norton por el uso de mayúsculas (Este modo de puntuar, sin hacerlo expresamente, es característico de Lorca. Humphries y Norton con su celo editorial reprodujeron lo escrito en este poema tal y como constaba en lo enviado por Bergamín).

No preguntarme nada. He visto que las cosas
cuando buscan su curso encuentran su vacío.
Hay un dolor de huecos por el aire sin gente
y en mis ojos criaturas vestidas !sin desnudo!

TU INFANCIA EN MENTON[1]

Sí, tu niñez: ya fábula de fuentes.

JORGE GUILLÉN.

Sí, tu niñez: ya fábula de fuentes.
El tren y la mujer que llena el cielo.
Tu soledad esquiva en los hoteles
y tu máscara pura de otro signo.
Es la niñez del mar y tu silencio
donde los sabios vidrios se quebraban.
Es tu yerta ignorancia donde estuvo
mi torso limitado por el fuego.
Norma de amor te di, hombre[2] de Apolo,
llanto con ruiseñor enajenado,
pero, pasto de ruina, te afilabas
para los breves sueños indecisos.
Pensamiento de enfrente, luz de ayer,
índices y señales del acaso.

---

[1] Este poema es el primero al que se alude en una de las hojas-recordatorio hoy conservadas del material enviado por Bergamín a Norton. En ella se dice, como ya vimos, que su antiguo título era «Ribera 1910», denominándose ahora «Tu infancia en Menton». Fue publicado en vida de Lorca en la revista *Héroe* (1932, núm. 4, págs. 54-55) y después de la muerte del autor, en *Sur* (Buenos Aires, núm. 34, julio de 1937, págs. 29-31). A la edición de *Héroe* indica el poeta que se acuda para conseguir su texto. En la edición Norton no se incluyó este poema ante la imposibilidad de conseguirlo, como señala la «Nota del traductor» de Humphries. En su ausencia, aparecen en esta edición —después del poema «1910 (Intermedio)»— las composiciones «La aurora» y «Fábula y rueda de los tres amigos». Los editores de Séneca, que tampoco tenían acceso a la revista *Héroe* en 1940, basaron su publicación en lo editado por Guillermo de Torre en Losada en 1938, que, a su vez, estaba basado en la versión de *Héroe*. Sin embargo, en Séneca se sustituyeron los dos puntos del verso de Jorge Guillén por una coma. Esta rectificación había sido hecha por Guillén, después de la publicación de este poema en la *Revista de Occidente* en 1928, de donde lo toma Lorca. Seguimos el texto publicado en *Héroe*, cuyas diferencias con la versión *Sur* se citan a continuación.

[2] En *Sur*, «hombro».

Tu cintura de arena sin sosiego
atiende sólo rastros que no escalan.
Pero yo he de buscar por los rincones
tu alma tibia sin ti que no te entiende[3],
con el dolor de Apolo detenido
con que he roto la máscara que llevas.
Allí, león, allí, furia de cielo,
te dejaré pacer en mis mejillas;
allí, caballo azul de mi locura,
pulso de nebulosa y minutero.
He de buscar las piedras de alacranes
y los vestidos de tu madre niña,
llanto de media noche y paño roto
que quitó luna de la sien del muerto.
Sí, tu niñez: ya fábula de fuentes.
Alma extraña de mi hueco de venas,
te he de buscar pequeña y sin raíces.
¡Amor de siempre, amor, amor de nunca!
¡Oh, sí! Yo quiero. ¡Amor, amor! Dejadme.
No me tapen la boca los que buscan
espigas de Saturno por la nieve
o castran animales por un cielo,
clínica y selva de la anatomía.
Amor, amor, amor. Niñez del mar.
Tu alma tibia sin ti que no te entiende[4].
Amor, amor, un vuelo de la corza
por el pecho sin fin de la blancura.
Y tu niñez, amor, y tu niñez.
El tren y la mujer que llena el cielo.
Ni tú, ni yo, ni el aire, ni las hojas.
Sí, tu niñez: ya fábula de fuentes.

---

[3] En *Sur*, «tu alma tibia sin ti que no entiende».
[4] En *Sur*, «tu alma tibia sin ti que no entiende».

«ESTUDIANTES BAILANDO, VESTIDOS DE MUJER»

«Enrique,	...«Lorenzo,	...«Uno	...«Tres	...«Enrique,
Emilio,	Emilio,	y uno	y dos	Emilio,
Lorenzo»...	Enrique»...	y otro»...	y uno»...	Lorenzo.»

FÁBULA Y RUEDA DE LOS TRES AMIGOS[1]

Enrique,
Emilio,
Lorenzo.
Estaban los tres helados.
Enrique por el mundo de las camas,
Emilio por el mundo de los ojos y las heridas de las manos,
Lorenzo por el mundo de las universidades sin tejados.

Lorenzo,
Emilio,
Enrique.
Estaban los tres quemados.
Lorenzo por el mundo de las hojas y las bolas de billar,
Emilio por el mundo de la sangre y los alfileres blancos,
Enrique por el mundo de los muertos y los periódicos abando-
[nados.
Lorenzo,
Emilio,
Enrique.
Estaban los tres enterrados.

---

[1] Este poema no se publicó en vida del autor, existiendo un manuscrito, hoy en la Fundación García Lorca, donde aparecen diversos títulos tachados: «Primera fábula para los muertos», «Fábula de los tres amigos», «Fábula de la amistad y Pasillo». Las diferencias entre Norton y Séneca se reducen, además de las frecuentes de puntuación, a una distinta distribución estrófica. En Séneca, el estribillo del poema (lo que forma «la rueda» de los tres amigos, compuesta por sus nombres, y en su defecto por «Uno / y uno / y uno», «Tres / y dos / y uno») se separa del resto de los versos de la composición. Por el contrario, en Norton se une a ellos, como queriendo arrastrarlos a través de la «rueda», mencionada en el título. En este texto sólo aparece un signo de puntuación, la coma del verso «Enrique en la hormiga, en el mar y en los ojos vacíos de los pájaros», aunque se sobreentienden los diferentes puntos por el posterior uso de mayúsculas. En nuestra edición, seguimos el texto de Norton, eliminando, por tanto, la separación del estribillo del resto de los versos, y supliendo la puntuación sugerida por las mayúsculas, así como las comas de final de verso. También hemos sustituido los dos puntos, que aparecen en Séneca al final de los versos «Estaban los tres helados»,«Estaban los tres quemados», «Estaban los tres enterrados», por el punto que se sobreentiende en Norton.

Lorenzo en un seno de Flora,
Emilio en la yerta ginebra que se olvida en el vaso,
Enrique en la hormiga, en el mar y en los ojos vacíos de los
[pájaros.
Lorenzo,
Emilio,
Enrique.
Fueron los tres en mis manos
tres montañas chinas,
tres sombras de caballo,
tres paisajes de nieve y una cabaña de azucenas
por los palomares donde la luna se pone plana bajo el gallo.

Uno
y uno
y uno.
Estaban los tres momificados,
con las moscas del invierno,
con los tinteros que orina el perro y desprecia el vilano,
con la brisa que hiela el corazón de todas las madres,
por los blancos derribos de Júpiter donde meriendan muerte
[los borrachos.
Tres
y dos
y uno.
Los vi perderse llorando y cantando
por un huevo de gallina,
por la noche que enseñaba su esqueleto de tabaco,
por mi dolor lleno de rostros y punzantes esquirlas de luna,
por mi alegría de ruedas dentadas y látigos,
por mi pecho turbado por las palomas,
por mi muerte desierta con un solo paseante equivocado.

Yo había matado la quinta luna
y bebían agua por las fuentes los abanicos y los aplausos.
Tibia leche encerrada de las recién paridas
agitaba las rosas con un largo dolor blanco.

Enrique,
Emilio,
Lorenzo.
Diana es dura,
pero a veces tiene los pechos nublados.
Puede la piedra blanca latir en la sangre del ciervo
y el ciervo puede soñar por los ojos de un caballo.

Cuando se hundieron las formas puras
bajo el cri cri de las margaritas,
comprendí que me habían asesinado.
Recorrieron los cafés y los cementerios y las iglesias.
Abrieron los toneles y los armarios.
Destrozaron tres esqueletos para arrancar sus dientes de oro.
Ya no me encontraron.
¿No me encontraron?
No. No me encontraron.
Pero se supo que la sexta luna huyó torrente arriba,
y que el mar recordó ¡de pronto!
los nombres de todos sus ahogados.

II
Los negros

Para Ángel del Río

«NEGRO QUEMADO»

«Allí los corales empapan la desesperación de la tinta,
los durmientes borran sus perfiles bajo la madeja de los caracoles
y queda el hueco de la danza ¡sobre las últimas cenizas!»

NORMA Y PARAÍSO DE LOS NEGROS[1]

Odian la sombra del pájaro
sobre el pleamar de la blanca mejilla
y el conflicto de luz y viento
en el salón de la nieve fría.

Odian la flecha sin cuerpo,
el pañuelo exacto de la despedida,
la aguja que mantiene presión y rosa
en el gramíneo rubor de la sonrisa.

Aman el azul desierto[2],
las vacilantes expresiones bovinas,
la mentirosa luna de los polos,
la danza curva del agua en la orilla.

---

[1] Este poema no se publicó en vida del autor, existiendo dos versiones manuscritas en los archivos de la Fundación García Lorca. Una *(Ms B)* parece ser posterior a la otra *(Ms A)*, ya que en ella aparece transcrita la composición sin apenas rectificaciones y con el título definitivo. Por el contrario, en la otra *(Ms A)* aparecen tres denominaciones tachadas: «La luna desierta y as de bastos» (posteriormente convertida en «Luna desierta y as de bastos») y «Paraíso quemado». Este último título guarda una estrecha relación con la primera de las ilustraciones que debía acompañar esta sección, «Negro quemado». En ella parece estar sintetizada la postura del autor frente a los negros: su comprensión hacia este pueblo que ha perdido su paraíso («Paraíso quemado») y la denuncia del poeta ante las injusticias de que han sido objeto.

Las diferencias entre las ediciones de Norton *(N)* y Séneca *(S)* se reducen a las habituales de puntuación (inexistente en *N*) y a las que señalamos en las notas siguientes. En nuestra edición, seguimos la puntuación *S*, que coincide con el uso de mayúsculas en *N*. Solamente introducimos una variante, indicada en la nota 4.

[2] En *N*, «cielo». Seguimos la ed. *S*. Esta corrección aparece realizada en el manuscrito más antiguo *(Ms A)*, donde la palabra «luna» ha sido desechada a favor de «cielo», y ésta por la definitiva de «azul».

Con la ciencia del tronco y el rastro[3]
llenan de nervios luminosos la arcilla
y patinan lúbricos por aguas y arenas
gustando la amarga frescura de su milenaria saliva.

Es por el azul crujiente,
azul sin un gusano ni una huella dormida,
donde los huevos de avestruz quedan eternos
y deambulan intactas las lluvias bailarinas.

Es por el azul sin historia,
azul de una noche sin temor de día,
azul donde el desnudo del viento va quebrando
los camellos sonámbulos de las nubes vacías.

Es allí donde sueñan los torsos bajo la gula de la hierba.
Allí los corales empapan la desesperación de la tinta,
los durmientes borran sus perfiles bajo la madeja de los caracoles
y queda el hueco de la danza ¡sobre las últimas cenizas[4].

---

[3] En *S*, «del rastro». Seguimos a *N* y los manuscritos conservados.

[4] En *N* y *S*, sin signos de admiración. Seguimos el *Ms B*. Esta admiración final parece aclarar bastante el significado del poema al insistir sobre la idea de «paraíso quemado», presente también en la ilustración fotográfica.

EL REY DE HARLEM[1]

Con una cuchara de palo[2]
le arrancaba los ojos a los cocodrilos
y golpeaba el trasero de los monos.
Con una cuchara de palo.

Fuego de siempre dormía en los pedernales
y los escarabajos borrachos de anís
olvidaban el musgo de las aldeas.

Aquel viejo cubierto de setas
iba al sitio donde lloraban los negros

---

[1] Este es uno de los poemas que más variantes ofrece entre las ediciones de Norton y Séneca. De él existen fundamentalmente dos textos. Uno procedente de un autógrafo original fechado el 5 de agosto de 1929 (publicado por Martínez Nadal, *Federico García Lorca, Autógrafos I,* Oxford, The Dolphin Book, 1975, pág. 220) y otro, editado en *Los Cuatro Vientos* (núm. 1, febrero de 1933, págs. 5-10) bajo el título «Oda al rey de Harlem». En esta última publicación dice basarse Guillermo de Torre para su edición de 1938 en Losada (reproducida por Bergamín en el apéndice de «Variantes», que incluye al final de su volumen de Séneca) aunque en realidad toma como referencia la publicación de este poema en *Federico García Lorca. Antología* (Santiago de Chile, Panorama, 1937, págs. 62-66, con selección y prólogo de María Zambrano). Sin embargo, en la edición Séneca aparece como texto base otra versión del poema, donde se han producido una serie de correcciones con respecto al texto de *Los Cuatro Vientos.* Asimismo, la edición Norton ofrece otra versión de este poema, que no coincide ni con *Los Cuatro Vientos,* ni con el texto base de Bergamín. Ante esta disparidad textual, Daniel Eisenberg propone volver a lo publicado en *Los Cuatro Vientos,* postura que también mantiene Eutimio Martín. Por el contrario, García Posada apoya la versión aparecida en Norton, por la fidelidad con que estos editores se aproximaron a los textos de Lorca, considerando que su versión contiene las últimas reformas del poeta. Mario Hernández sigue en su edición este mismo texto. Sin embargo, la fuente exacta de Humphries-Norton no se conoce, aunque el tipo de modificaciones que introducen no parece ser obra de estos editores. En nuestra edición mantenemos el texto de Norton *(N)* por las mismas razones expuestas, al tiempo que indicamos las variantes con respecto al texto base de Séneca *(S)* y *Los Cuatro Vientos (LCV).*

[2] «Con una cuchara», *LCV* y *S.*

125

«NEGRO VESTIDO DE ETIQUETA»

«¡Ay, Harlem! ¡Ay, Harlem! ¡Ay, Harlem!
No hay angustia comparable a tus ojos oprimidos,
a tu sangre estremecida dentro del eclipse oscuro,
a tu violencia granate, sordomuda en la penumbra,
a tu gran rey prisionero, con un traje de conserje.»

mientras crujía la cuchara del rey[3]
y llegaban los tanques de agua podrida.

Las rosas huían por los filos
de las últimas curvas del aire[4]
y en los montones de azafrán
los niños machacaban pequeñas ardillas
con un rubor de frenesí manchado.

Es preciso cruzar[5] los puentes
y llegar al rumor negro
para que el perfume de pulmón
nos golpee las sienes con su vestido
de caliente piña[6].

Es preciso matar al rubio vendedor de aguardiente,
a todos los amigos de la manzana y de la arena[7];
y es necesario dar con los puños cerrados
a las pequeñas judías que tiemblan llenas de burbujas,
para que el rey de Harlem cante con su muchedumbre,
para que los cocodrilos duerman en largas filas[8],
bajo el amianto de la luna,
y para que nadie dude la infinita belleza[9]
de los plumeros, los ralladores, los cobres y las cacerolas de las
                                                              [cocinas[10].
¡Ay, Harlem! ¡Ay, Harlem! ¡Ay, Harlem![11].

---

[3] «del Rey», *LCV*.
[4] «del aire», *LCV* y *S*.
[5] «pasar», *LCV*.
[6] Diferente distribución en *LCV*:

    «para que el perfume de pulmón nos golpee las sienes
    con su vestido de piña caliente».

[7] *LCV* «de la manzana y la arena», en *S* «la arena».
[8] *LCV* «en largas filas».
[9] *LCV* y *S* «de la infinita belleza».
[10] *LCV* «de los embudos, los rayadores,
         los plumeros y las cacerolas de las cocinas»,
En *N* «los rayadores» por «los ralladores», en evidente falta ortográfica.
[11] Mantenemos la separación entre estas dos series de versos, existente en

No hay angustia comparable a tus ojos[12] oprimidos,
a tu sangre estremecida dentro del eclipse oscuro[13],
a tu violencia granate, sordomuda[14] en la penumbra,
a tu gran rey prisionero, con un traje de conserje[15].

* * *

Tenía la noche una hendidura y quietas salamadras de marfil.
Las muchachas americanas
llevaban niños y monedas en el vientre
y los muchachos se desmayaban en la cruz del desperezo.

Ellos son.
Ellos son los que beben el whisky[16] de plata junto a los volcanes
y tragan pedazitos de corazón por las heladas montañas del oso.

Aquella noche el rey de Harlem, con una durísima cuchara,
le arrancaba[17] los ojos a los cocodrilos
y golpeaba el trasero de los monos.
Con una durísima cuchara[18].

Los negros lloraban confundidos
entre paraguas y soles de oro[19];
los mulatos estiraban gomas, ansiosos de llegar al torso blanco[20],
y el viento empañaba espejos
y quebraba las venas de los bailarines.

LCV y en *S*, aunque no en *N*, por entender que guarda un paralelismo con la
estrofa final de la composición, iniciada con este mismo verso exclamativo.

[12] *LCV* y *S*, «rojos», mientras en Losada y la Antología de María Zambrano
aparece «ojos», al igual que en *N*.

[13] *N* «obscuro».

[14] *N* «sordo-muda». En estos dos últimos ejemplos se evidencia la fidelidad
en las transcripciones de Norton.

[15] En el *Ms* de 1929 «en un traje».

[16] *N* «wisky», lo que vuelve a ratificar que los editores de este volumen
transcriben lo que ven, a pesar de su conocimiento de la lengua inglesa.

[17] *S* «arrancaba».

[18] *S* «Con una cuchara». En *S* a continuación sin blancas separadoras.

[19] *S* «soles de oro», *LCV* «de oro».

[20] *LCV* «Los mulatos estiraban gomas
ansiosos de llegar al torso blanco».

¡Negros! ¡Negros! ¡Negros! ¡Negros![21].
La sangre no tiene puertas en vuestra noche boca arriba[22].
No hay rubor. Sangre furiosa por debajo de las pieles,
viva en la espina del puñal y en el pecho de los paisajes,
bajo las pinzas y las retamas de la celeste luna de Cáncer[23].

Sangre que busca por mil caminos muertes enharinadas y ceni-
[za[24] de nardos,
cielos yertos, en declive, donde las colonias de planetas
rueden por las playas con los objetos abandonados[25].

Sangre que mira lenta con el rabo del ojo,
hecha de espartos exprimidos y néctares subterráneos[26].
Sangre que oxida al alisio descuidado en una huella
y disuelve a las mariposas en los cristales de la ventana.

Es la sangre que viene, que vendrá
por los tejados y azoteas, por todas partes,
para quemar la clorofila[27] de las mujeres rubias,
para gemir al pie de las camas, ante el insomnio de los lavabos,
y estrellarse en una aurora de tabaco y bajo amarillo.

¡Hay que huir!,
huir por las esquinas y encerrarse en los últimos pisos[28],
porque el tuétano del bosque penetrará por las rendijas

---

[21] *LCV* y *S,* «Negros, negros, negros, negros». En *S* a continuación con
blancas separadoras.

[22] *LCV* «La sangre no tiene puertas
en vuestra noche boca arriba».

[23] Seguimos la mayúscula utilizada en *LCV.*

[24] *LCV* «cenizas».

[25] *N* «por las playas». Seguimos en la eliminación de esta coma a *S.* En *LCV*
estos dos últimos versos se reducen a uno, «cielos blancos y polos donde lo negro cante».

[26] *N* y *S,* «de espartos exprimidos, néctares de subterráneos». Seguimos el
texto de *LCV.*

[27] *LCV, N* y *S* «clorifilia».

[28] *LCV,* estos dos versos aparecen como «Hay que huir de las orillas / y encerrarse en los últimos pisos».

para dejar en vuestra carne una leve huella de eclipse
y una falsa tristeza de guante desteñido y rosa química[29].

* * *

Es por el silencio sapientísimo
cuando los cocineros y los camareros y los que limpian con la
las heridas de los millonarios   [lengua[30]
buscan al rey por las calles o en los ángulos del salitre[31].

Un viento sur de madera oblicuo en el negro fango[32],
escupe a las barcas rotas y se clava puntillas en los hombros[33].
Un viento sur que lleva
colmillos, girasoles, alfabetos[34],
y una pila de Volta con avispas ahogadas.

El olvido[35] estaba expresado por tres gotas de tinta sobre el mo-
El amor[36], por un solo rostro invisible a flor de piedra.   [nóculo
Médulas y corolas componían sobre las nubes
un desierto de tallos[37], sin una sola rosa.

A la izquierda, a la derecha, por el Sur y por el Norte[38],
se levanta el muro impasible

---

[29] *LCV*, a continuación sin asteriscos.

[30] *LCV* y *S* aparece «los camareros y los cocineros», al tiempo que en la primera publicación este verso se parte después de «cuando los camareros y los cocineros».

[31] *LCV* «al Rey». Este verso aparece dividido, «buscan al Rey por las calles /
o en los ángulos del salitre».

[32] *S* «de madera».

[33] *LCV* este verso se rompe después de «barcas rotas».

[34] *LCV* «un viento sur que lleva colmillos, girasoles y alfabetos». En *S* sin
coma al final.

[35] *LCV* con mayúscula y roto el verso a continuación de «estaba expresado».

[36] *LCV* con mayúscula y sin coma a continuación, faltando este signo también en *S*.

[37] *LCV* y *S* sin esta coma, y con blancas separadoras y asterisco después de
este verso.

[38] *S* sin uso de mayúsculas, mientras en *LCV* sí aparecen, pero el verso se
desmembra en dos, después de «por la derecha».

para el topo y la aguja del agua[39].
No busquéis, negros[40], su grieta
para hallar la máscara infinita.
Buscad el gran sol del centro[41]
hechos[42] una piña zumbadora.
El sol que se desliza por los bosques
seguro de no encontrar una ninfa[43].
El sol que destruye números y no ha cruzado nunca un sueño,
el tatuado sol que baja por el río
y muge seguido de caimanes.

¡Negros! ¡Negros! ¡Negros! ¡Negros![44].
Jamás sierpe, ni cebra[45], ni mula[46],
palidecieron al morir.
El leñador no sabe cuándo expiran
los clamorosos árboles que corta.
Aguardad bajo la sombra vegetal de vuestro rey
a que cicutas y cardos y ortigas turben postreras azoteas.

Entonces, negros, entonces, entonces,
podréis besar con frenesí las ruedas de las bicicletas,
poner parejas de microscopios en las cuevas de las ardillas
y danzar al fin sin duda[47], mientras las flores erizadas
asesinan a nuestro Moisés[48] casi en los juncos del cielo.

---

[39] *S* «para el topo, la aguja del agua». En *LCV* blancas separadoras a continuación.
[40] Seguimos la puntuación de *LCV* y *S*, aunque ausente en *N*.
[41] *LCV* «gran Sol del Centro». La mayúscula de «Sol» aparece en esta edición en las tres ocasiones que se menciona esta palabra, dentro de los seis versos siguientes.
[42] *N* «hecho». Seguimos el plural de *S*.
[43] *S* desaparece este punto.
[44] *LCV* «Negros, negros, negros, negros», mientras en *S* se mantiene esta puntuación pero con la utilización de mayúsculas.
[45] *N* «cabra», es evidente error mecanográfico.
[46] *LCV* este verso se une al siguiente, mientras en *S* no aparece esta coma final.
[47] *S* «al fin, sin duda».
[48] *LCV* «a vuestro Moisés».

¡Ay, Harlem disfrazada!
¡Ay, Harlem, amenazada por un gentío de trajes sin cabeza!
Me llega tu rumor[49].
Me llega tu rumor atravesando troncos y ascensores[50],
a través de láminas grises,
donde flotan tus automóviles[51] cubiertos de dientes,
a través de los caballos muertos y los crímenes diminutos,
a través de tu gran rey desesperado
cuyas barbas llegan al mar.

[49] *S* sin punto al final del verso.
[50] *LCV* punto al final de este verso.
[51] *N* «automóbiles», en evidente falta ortográfica.

IGLESIA ABANDONADA
(BALADA DE LA GRAN GUERRA)[1]

Yo tenía un hijo que se llamaba Juan.
Yo tenía un hijo.
Se perdió por los arcos un viernes de todos los muertos.
Lo vi jugar en las últimas escaleras de la misa,
y echaba un cubito de hojalata en el corazón del sacerdote.
He golpeado los ataúdes. ¡Mi hijo! ¡Mi hijo! ¡Mi hijo!
Saqué una pata de gallina[2] por detrás de la luna, y luego,
comprendí que mi niña era un pez
por donde se alejan las carretas.
Yo tenía una niña.
Yo tenía un pez muerto bajo la ceniza de los incensarios.
Yo tenía un mar. ¿De qué? ¡Dios mío![3] ¡Un mar!
Subí a tocar las campanas pero las frutas tenían gusanos
y las cerillas apagadas

[1] De este poema se conserva un manuscrito en la Fundación García Lorca, fechado el 29 de noviembre de 1929 en «New York», con el subtítulo de «Recuerdo de la Guerra». De este texto se deriva, con algunas variantes, el publicado en *Poesía*, bajo el subtítulo de «Recuerdo de la gran guerra» (Buenos Aires, núms. 6-7, octubre-noviembre de 1933, págs. 28-29), También se editó otra versión en la revista *España peregrina* (4 de mayo de 1940) publicada por la *Junta de Cultura Española* en México, en cuya presidencia estaba Bergamín, y cuyo texto ofrece algunas diferencias de puntuación con lo editado posteriormente en Séneca. En este volumen, además del texto base, se incluye en la sección de «Variantes» otra versión del poema, subtitulada «Recuerdo de la guerra europea», presentando algunas variantes con respecto al texto principal. Entre las ediciones ofrecidas en Norton y Séneca aparecen las habituales diferencias de puntuación, mucho más escasa en Norton, y a veces sobreentendida por el uso de mayúsculas. En nuestra edición, seguimos lo publicado en Norton, señalando las diferencias que nos apartan de su texto.

[2] Este vocablo sustituye en *N* y *S* a la palabra «gallo», que aparece en *Poesía* y en la variante ofrecida en Séneca. Otra similitud entre ambos textos se encuentra en el verso «cuando el sacerdote levante la mula y el buey con sus fuertes brazos», donde la versión de *N* y *S*, «con sus fuertes brazos», es sustituida por «con fuertes brazos». Esto nos indica la anterioridad de la versión incluida por Bergamín, con respecto al texto *N-S*, aunque tampoco coincida con lo editado en *Poesía* por presentar diferencias de puntuación.

[3] En esta admiración seguimos a la edición *S* y a lo publicado en *Poesía*.

se comían los trigos de la primavera.
Yo vi la transparente cigüeña de alcohol
mondar las negras cabezas de los soldados agonizantes
y vi las cabañas de goma
donde giraban las copas llenas de lágrimas.
En las anémonas del ofertorio te encontraré ¡corazón mío!
cuando el sacerdote levante la mula y el buey con sus fuertes
[brazos⁴,
para espantar los sapos nocturnos que rondan los helados pai-
Yo tenía un hijo que era un gigante⁵,   [sajes del cáliz.
pero los muertos son más fuertes y saben devorar pedazos de
Si mi niño hubiera sido un oso,   [cielo.
yo no temería el sigilo de los caimanes⁶,
ni hubiese visto el mar amarrado a los árboles
para ser fornicado y herido por el tropel de los regimientos.
¡Si mi niño hubiera sido un oso!
Me envolveré sobre esta lona dura para no sentir el frío de los
[musgos.
Sé muy bien que me darán una manga o la corbata⁷;
pero en el centro de la misa yo romperé el timón y entonces
vendrá a la piedra la locura de pingüinos y gaviotas
que harán decir a los que duermen y a los que cantan por las
El tenía un hijo.   [esquinas:
¡Un hijo! ¡Un hijo! ¡Un hijo
que no era más que suyo, porque era su hijo!
¡Su hijo! ¡Su hijo! ¡Su hijo!⁸.

_____

⁴ Ver nota 2.

⁵ Incluimos esta coma, no existente en *N*, por la pausa que quiso establecer el autor en su edición de *Poesía*, señalándola con un punto.

⁶ En estas dos comas finales de verso seguimos lo editado en Séneca y *Poesía*.

⁷ En este signo de puntuación, inexistente en *N*, seguimos a *S* y *Poesía*.

⁸ Seguimos la puntuación *S*, avalados por la abundancia de signos de admiración en este poemario. El texto de *N* es el siguiente:

«... por las esquinas
El tenía un hijo
Un hijo. Un hijo. Un hijo
que no era más que suyo porque era su hijo
Su hijo. Su hijo. Su hijo.»

III
Calles y sueños

A Rafael R. Rapún

Un pájaro de papel en el pecho
dice que el tiempo de los besos no ha llegado.
VICENTE ALEIXANDRE.

«WALL STREET»

«El mascarón llegaba a Wall Street.
(. . . . .)
El mascarón bailará entre columnas de sangre y de números,
entre huracanes de oro y gemidos de obreros parados
que aullarán, noche oscura, por tu tiempo sin luces.»

DANZA DE LA MUERTE[1]

El mascarón. Mirad el mascarón
cómo viene del África a New York[2].

Se fueron los árboles de la pimienta,
los pequeños botones de fósforo[3].
Se fueron los camellos de carne desgarrada
y los valles de luz que el cisne levantaba con el pico.

Era el momento de las cosas secas[4]:
de la espiga en el ojo y el gato laminado;
del óxido de hierro de los grandes puentes
y el definitivo silencio del corcho.

Era la gran reunión de los animales muertos
traspasados por las espadas de la luz[5].
La alegría eterna del hipopótamo con las pezuñas de ceniza
y de la gacela con una siempreviva en la garganta.

---

[1] Este poema, fechado en «Diciembre-1929», se publicó por vez primera en La Habana, 1930, en la *Revista de Avance* (núm. 1, 15 de abril, págs. 107-109). Sobre este texto trabajó el autor, reelaborando su contenido, como consta en las hojas de esta publicación *(Ms)*, hoy conservadas en la Fundación García Lorca. La principal diferencia entre ambas versiones (además de la reforma de varios de sus versos) es la presencia del estribillo en la segunda versión, escrito inicialmente por el autor como, «El mascarón, mirad el mascarón / cómo viene del África a New York». Entre las ediciones de Norton y Séneca existen algunas variantes importantes, que indicaremos seguidamente, además de las habituales de puntuación. También una diferente distribución en algunas de sus agrupaciones de versos, y el uso de otro tipo de letra en Séneca para señalar el estribillo. En nuestra edición, seguimos lo publicado por Norton, aunque adoptando algunas resoluciones de la edición Séneca.

[2] En *S* «¡Mirad el mascarón! / ¡Cómo viene del África a New York!», mientras en *N* aparece castellanizado el nombre de la ciudad neoyorquina. Mantenemos la denominación inglesa por constar en el *Ms*.

[3] Mantenemos la puntuación *S*, convirtiendo en coma el punto que cierra en *N* el primer verso.

[4] *S* «secas», así como también ha convertido en coma el signo de puntuación siguiente.

[5] *S*, coma y punto y coma, respectivamente, en estos dos versos.

En la marchita soledad sin onda[6]
el abollado mascarón danzaba.
Medio lado del mundo era de arena,
mercurio y sol dormido el otro medio[7].

El mascarón. ¡Mirad el mascarón!
Arena, caimán y miedo sobre Nueva York.

Desfiladeros de cal aprisionaban un cielo vacío
donde sonaban las voces de los que mueren bajo el guano.
Un cielo mondado y puro, idéntico a sí mismo[8],
con el bozo y lirio agudo de sus montañas invisibles[9].

Acabó con los más leves tallitos del canto
y se fue al diluvio empaquetado de la savia,
a través del descanso de los últimos perfiles
levantando con el rabo pedazos de espejo.

Cuando el chino lloraba en el tejado
sin encontrar el desnudo de su mujer,
y el director del banco observaba el manómetro
que mide el cruel silencio de la moneda,
el mascarón llegaba a Wall Street.

No es extraño para la danza
este columbario que pone los ojos amarillos.
De la esfinge a la caja de caudales hay un hilo tenso
que atraviesa el corazón de todos los niños pobres.
El ímpetu primitivo baila con el ímpetu mecánico,
ignorantes en su frenesí de la luz original[10].

_____

[6] *N* y *S* «honda», en evidente falta ortográfica.

[7] En *N* este verso comienza con mayúscula, a pesar de que el anterior termina en una coma. Aquí hemos adoptado la misma solución que entre los versos 3 y 4.

[8] Signos de puntuación inexistentes en *N*, pero sí en *S* y en el *Ms*.

[9] La separación entre este verso y el siguiente se encuentra en *N*, *S* y *Ms*, aunque en *S* aparezca con minúscula el comienzo del verso siguiente.

[10] En *N* este verso encabeza la siguiente serie, mientras en *S* aparecen las dos series seguidas. Hemos seguido la solución del *Ms*, no corregida por Lorca, y avalada por la existencia de una separación en *N*.

Porque si la rueda olvida su fórmula
ya puede cantar desnuda con las manadas de caballos[11]
y si una llama quema los helados proyectos
el cielo tendrá que huir ante el tumulto de las ventanas.

No es extraño este sitio para la danza. Yo lo digo.
El mascarón bailará entre columnas de sangre y de números,
entre huracanes de oro y gemidos de obreros parados
que aullarán, noche oscura[12], por tu tiempo sin luces.
¡Oh salvaje Norteamérica, oh impúdica! ¡Oh salvaje![13].
Tendida en la frontera de la nieve.

El mascarón. ¡Mirad el mascarón!
¡Qué ola de fango y luciérnagas[14] sobre Nueva York!

* * *

Yo estaba en la terraza luchando con la luna.
Enjambres de ventanas acribillaban un muslo de la noche.
En mis ojos bebían las dulces vacas de los cielos[15]
y las brisas de largos remos
golpeaban los cenicientos cristales del Broadway.

La gota de sangre buscaba la luz de la yema del astro
para fingir una muerta semilla de manzana.
El aire de la llanura, empujado por los pastores[16],
temblaba con un miedo de molusco sin concha.

Pero no son los muertos los que bailan[17].
Estoy seguro.
Los muertos están embebidos devorando sus propias manos.

---

[11] En *S* coma y punto y coma al final de estos dos versos.
[12] Seguimos la puntuación *S*.
[13] *S* «¡Oh salvaje Norteamérica! ¡Oh impúdica! ¡Oh salvaje!».
[14] *S* «luciérnaga».
[15] En *S* punto al final de este verso.
[16] Seguimos la puntuación *S*, inexistente en *N*.
[17] Ausencia de punto en *S*.

«BROADWAY 1830»

«Yo estaba en la terraza con la luna.
Enjambres de ventanas acribillaban un muslo de la noche.
En mis ojos bebían las dulces vacas de los cielos
y las brisas de largos remos
golpeaban los cenicientos cristales del Broadway.»

Son los otros los que bailan, con el mascarón y su vihuela[18].
Son los otros, los borrachos de plata, los hombres fríos,
los que duermen en el cruce de los muslos y llamas duras,
los que buscan la lombriz en el paisaje de las escaleras,
los que beben en el banco lágrimas de niña muerta
o los que comen por las esquinas diminutas pirámides del alba.

¡Que no baile el Papa!
¡No, que no baile el Papa!
Ni el Rey[19];
ni el millonario de dientes azules,
ni las bailarinas secas de las catedrales,
ni constructores, ni esmeraldas, ni locos, ni sodomitas.
Sólo este mascarón.
Este mascarón de vieja escarlatina[20].
¡Sólo este mascarón!

Que ya las cobras silbarán por los últimos pisos.
Que ya las ortigas estremecerán patios y terrazas.
Que ya la Bolsa será una pirámide de musgo.
Que ya vendrán lianas después de los fusiles
y muy pronto, muy pronto, muy pronto.
¡Ay, Wall Street!

El mascarón. ¡Mirad el mascarón!
¡Cómo escupe veneno de bosque
por la angustia imperfecta de Nueva York!

---

[18] En *S* punto y coma.
[19] En *S* coma.
[20] Sin punto en *S*.

«MULTITUD»

«Yo, poeta sin brazos, perdido
entre la multitud que vomita,
sin caballo efusivo que corte
los espesos musgos de mis sienes.»

PAISAJE DE LA MULTITUD QUE VOMITA[1]

(ANOCHECER DE CONEY ISLAND)

La mujer gorda venía delante
arrancando las raíces y mojando el pergamino de los tambores[2].
La mujer gorda,
que vuelve del revés los pulpos agonizantes.
La mujer gorda, enemiga de la luna[3],
corría por las calles y los pisos deshabitados
y dejaba por los rincones pequeñas calaveras de paloma
y levantaba las furias de los banquetes de los siglos últimos
y llamaba al demonio del pan por las colinas del cielo barrido
y filtraba un ansia de luz en las circulaciones subterráneas.
Son los cementerios. Lo sé. Son los cementerios[4]
y el dolor de las cocinas enterradas bajo la arena.
Son los muertos, los faisanes y las manzanas de otra hora
los que nos empujan en la garganta.

Llegaban los rumores de la selva del vómito
con las mujeres vacías, con niños de cera caliente

---

[1] De este poema se conservan dos manuscritos en los archivos de la Fundación García Lorca. Uno, fechado el «29 de diciembre 1929 —New York—», parece ser el primero por la mayor cantidad de rectificaciones que contiene. El otro, recoge una puesta a limpio de la composición, pero sin responder exactamente al contenido del anterior. De este segundo manuscrito parece proceder lo publicado en 1935 en *Noreste* (Zaragoza, núm. 11, pág. 6) aunque tampoco su coincidencia es total. Con anterioridad se había editado en la revista *Poesía* (Buenos Aires, I, núms. 6-7, págs. 25-26) en el mismo número que «Iglesia abandonada» y «Poema doble del lago Eden». De aquí lo tomó Guillermo de Torre en 1938 para la publicación de su tomo VI en Losada, y este mismo texto será incluido por Bergamín en su sección de *Variantes*. Las diferencias entre lo editado por Norton y el texto base de Séneca se reducen a las habituales de puntuación a una diferente distribución estrófica, como señalamos en las notas siguientes.

[2] Punto y coma en *S*.

[3] Seguimos la puntuación *S*, inexistente en *N*.

[4] En *S* los dos puntos de este verso han sido sustituidos por comas, así como se ha transformado en punto y coma el punto final del verso siguiente.

con árboles fermentados y camareros incansables
que sirven platos de sal bajo las arpas de la saliva.
Sin remedio, hijo mío, ¡vomita!⁵. No hay remedio.
No es el vómito de los húsares sobre los pechos de la prostituta,
ni el vómito del gato que se tragó una rana por descuido.
Son los muertos que arañan con sus manos de tierra
las puertas de pedernal donde se pudren nublos y postres.

La mujer gorda venía delante
con las gentes de los barcos, de las tabernas⁶ y de los jardines.
El vómito agitaba delicadamente sus tambores
entre algunas niñas de sangre
que pedían protección a la luna.
¡Ay de mí! ¡Ay de mí! ¡Ay de mí!
Esta mirada mía fue mía, pero ya no es mía⁷.
Esta mirada que tiembla desnuda por el alcohol
y despide barcos increíbles
por las anémonas de los muelles.
Me defiendo con esta mirada
que mana de las ondas por donde el alba no se atreve⁸.
Yo, poeta sin brazos⁹, perdido
entre la multitud que vomita,
sin caballo efusivo que corte
los espesos musgos de mis sienes¹⁰.
Pero la mujer gorda seguía delante
y la gente buscaba las farmacias
donde el amargo trópico se fija.
Sólo cuando izaron la bandera y llegaron los primeros canes
la ciudad entera se agolpó en las barandillas del embarcadero.

---

⁵ Seguimos la puntuación *S*. En *N* «Sin remedio. Hijo mío ¡vomita!».
⁶ Seguimos la versión *N* y *S*, en este caso coincidentes.
⁷ En *S* este punto es sustituido por coma.
⁸ En *S* este punto es sustituido por coma.
⁹ Seguimos la puntuación *S*, al igual que en el verso siguiente.
¹⁰ En *S* a continuación blancas separadoras.

PAISAJE DE LA MULTITUD QUE ORINA[1]

(NOCTURNO DE BATTERY PLACE)

Se quedaron solos[2].
Aguardaban la velocidad de las últimas bicicletas.
Se quedaron solas.
Esperaban la muerte de un niño en el velero japonés.
Se quedaron solos y solas,
soñando con los picos abiertos de los pájaros agonizantes[3],
con el agudo quitasol que pincha
al sapo recién aplastado,
bajo un silencio con mil orejas
y diminutas bocas de agua
en los desfiladeros que resisten
el ataque violento de la luna.
Lloraba el niño del velero y se quebraban los corazones
angustiados por el testigo y la vigilia de todas las cosas
y porque todavía en el suelo celeste de negras huellas
gritaban nombres oscuros, salivas y radios de níquel[4]
No importa que el niño calle cuando le claven el último alfiler[5].
No importa la derrota de la brisa en la corola del algodón.
Porque hay un mundo de la muerte con marineros definitivos
que se asomarán a los arcos y os helarán por detrás de los árboles.
Es inútil buscar el recodo

---

[1] Este poema no fue publicado en vida del autor. Se conserva un manuscrito en la Fundación García Lorca, con las suficientes rectificaciones como para considerarlo primera versión, aunque no figure la fecha. Su texto aparece precedido del mismo título y subtítulo con que hoy se conoce, si bien el de «Paisaje de la multitud que orina» fue posteriormente tachado por el autor. Las diferencias entre las ediciones Norton y Séneca se reducen fundamentalmente a las habituales de puntuación. Seguimos la edición Norton, señalando las adaptaciones de lo publicado en Séneca.

[2] En *S* dos puntos, al igual que en el verso 3.

[3] Seguimos la puntuación *S*, al igual que en el verso posterior al siguiente.

[4] Seguimos la puntuación *S*.

[5] En *S* este punto se sustituye por una coma, así como en el verso siguiente, que comienza «ni importa».

donde la noche olvida su viaje
y acechar un silencio que no tenga
trajes rotos y cáscaras y llanto[6],
porque tan sólo el diminuto banquete de la araña
basta para romper el equilibrio de todo el cielo.
No hay remedio para el gemido del velero japonés,
ni para estas gentes ocultas[7] que tropiezan con[8] las esquinas[9].
El campo se muerde la cola para unir las raíces en un punto
y el ovillo busca por la grama su ansia de longitud insatisfecha.
¡La luna! Los policías ¡Las sirenas de los transatlánticos!
Fachadas de orín[10], de humo, anémonas, guantes de goma[11].
Todo está roto por la noche,
abierta de piernas sobre las terrazas.
Todo está roto por los tibios caños
de una terrible fuente silenciosa.
¡Oh gentes! ¡Oh mujercillas! ¡Oh soldados![12].
Será preciso viajar por los ojos de los idiotas[13],
campos libres donde silban las mansas cobras deslumbradas,
paisajes llenos de sepulcros que producen fresquísimas manzanas,
para que venga la luz desmedida
que temen los ricos detrás de sus lupas,
el olor de un solo cuerpo con la doble vertiente de lis y rata
y para que se quemen estas gentes que pueden orinar alrededor
[de un gemido
o en los cristales donde se comprenden las olas nunca repetidas.

---

[6] Seguimos la puntuación *S*.

[7] *N* «cultas».

[8] *N* «por». Seguimos la edición *S* y el manuscrito citado.

[9] Seguimos la puntuación *S*.

[10] *S* «crin».

[11] *N* «goma». Seguimos la puntuación *S*.

[12] *N* «¡Oh soldados!». Seguimos la puntuación *S*.

[13] Seguimos la puntuación (inexistente en *N*) de la edición *S*, al igual que en los dos versos siguientes y en el verso «que temen los ricos detrás de sus lupas,».

ASESINATO[1]

(DOS VOCES DE MADRUGADA EN RIVERSIDE DRIVE)

¿Cómo fue?
Una grieta en la mejilla.
¡Eso es todo!
Una uña que aprieta el tallo.
Un alfiler que bucea
hasta encontrar las raicillas del grito.
Y el mar deja de moverse.
¿Cómo, cómo fue?
Así.
¡Déjame! ¿De esa manera?
Sí.
El corazón salió solo.
¡Ay, ay de mí!

---

[1] De este poema se conserva un autógrafo en la Fundación García Lorca, que parece ser su versión original. Aparece con el subtítulo de —«Dos voces en la calle 42»—. En la misma página están escritos siete versos de la composición «Niña ahogada en el pozo», allí titulada «Niña en el pozo». Otra versión del poema se incluye en las páginas de la conferencia-recital hoy consevadas. Este segundo texto se publicó en 1933 en la revista *Blanco y negro* (en el número del 5 de marzo). Una tercera versión del poema, titulada «Asesinato (Dos veces de madrugada)», es la que se edita, también en 1933, en *Cristal* (Orense, núm. 7, mes de enero). De su texto deriva la versión publicada en Norton y Séneca, aunque su concordancia no sea total. Las diferencias entre estas dos últimas ediciones se reducen fundamentalmente a cuestiones tipográficas (uso de guiones y diferente tipo de letra para la expresión de una de las voces en Séneca) y a una variante en el título, «River Side Drive», en esta misma edición. Ambos textos transcriben en el verso 10 «¡Dejadme!» cuando la expresión correcta debe ser, «Déjame», ya que está refiriéndose a un único interlocutor. En nuestra edición seguimos el texto publicado en Norton.

«DESIERTO»

«El mundo solo por el cielo solo
(. . . . .)
. . . . . Cielo desierto.
(. . . . .)
y estoy con las manos vacías en el rumor de la desembocadura.
(. . . . .)
Sólo esto: desembocadura.
(. . . . .)
¡Oh filo de mi amor! ¡Oh hiriente filo!»

148

NAVIDAD EN EL HUDSON[1]

¡Esa esponja gris!
Ese marinero recién degollado.
Ese río grande.
Esa brisa de límites oscuros[2].
Ese filo, amor, ese filo.
Estaban los cuatro marineros luchando con el mundo[3].
Con el mundo de aristas que ven todos los ojos.
Con el mundo que no se puede recorrer sin caballos.
Estaba uno, cien, mil marineros
luchando con el mundo de las agudas velocidades[4],
sin enterarse de que el mundo
estaba solo por el cielo.

El mundo solo por el cielo solo.
Son las colinas de martillos y el triunfo de la hierba espesa.
Son los vivísimos hormigueros y las monedas en el fango[5].
El mundo solo por el cielo solo
y el aire a la salida de todas las aldeas.

Cantaba la lombriz el terror de la rueda
y el marinero degollado

---

[1] De este poema se conserva un autógrafo en la Fundación García Lorca, que parece responder a la versión original, fechada en «New York 27 de diciembre de 1929». (Según este dato, fue compuesto dos días antes de «Paisaje de la multitud que vomita», y en el mismo mes que «Danza de la muerte».) No se publicó en vida del autor. Las diferencias entre las ediciones Norton y Séneca se reducen casi exclusivamente a las habituales de puntuación. Seguimos lo publicado por Norton, señalando los préstamos de la edición Séneca.

[2] *N* «obscuros».

[3] En *S* este punto final, así como el de los dos versos siguientes, se ha sustituido por una coma.

[4] Seguimos la puntuación *S*.

[5] Seguimos la puntuación *S*.

cantaba al oso de agua[6] que lo había de estrechar[7]
y todos cantaban aleluya
aleluya. Cielo desierto.
Es lo mismo ¡lo mismo! aleluya.

He pasado toda la noche en los andamios de los arrabales
dejándome la sangre por la escayola de los proyectos[8],
ayudando a los marineros a recoger las velas desgarradas
y estoy con las manos vacías en el rumor de la desembocadura.
No importa que cada minuto
un niño nuevo agite sus ramitos de venas[9]
ni que el parto de la víbora, desatado bajo las ramas[10],
calme la sed de sangre de los que miran el desnudo.
Lo que importa es esto: hueco. Mundo solo. Desembocadura.
Alba no. Fábula inerte.
Sólo esto: Desembocadura.
¡Oh esponja mía gris![11].
¡Oh cuello mío recién degollado!
¡Oh río grande mío!
¡Oh brisa mía de límites que no son míos!
¡Oh filo de mi amor! ¡Oh hiriente filo![12].

---

[6] *N* «el marinero degollado; / cantaba el oso de agua». La expresión de este último verso se encuentra también en *S,* aunque en el *Ms* se ofrece la versión más coherente de estos versos, aquí transcrita.

[7] En *S* punto y coma, terminando en coma el verso siguiente, mientras transcribe tres versos más abajo, «lo mismo, ¡lo mismo!», y añade un punto al final del verso «ayudando a los marineros a recoger las velas desgarradas».

[8] Seguimos la puntuación *S.*

[9] En *S* «venas».

[10] Seguimos la puntuación *S.*

[11] Seguimos en el uso de admiraciones (inexistente en *N*) la edición *S,* así como el *Ms.*

[12] *S* «¡Oh filo de mi amor, oh hiriente filo!». Respetamos el punto existente en *N* y en el *Ms,* añadiéndole doble admiración, habida también en el *Ms.*

CIUDAD SIN SUEÑO[1]

(NOCTURNO DEL BROOKLYN BRIDGE)

No duerme nadie por el cielo. Nadie, nadie.
No duerme nadie.
Las criaturas de la luna huelen y rondan las cabañas.
Vendrán las iguanas vivas a morder a los hombres que no sueñan
y el que huye con el corazón roto encontrará por las esquinas
al increíble cocodrilo quieto bajo la tierna protesta de los astros.

No duerme nadie por el mundo. Nadie, nadie.
No duerme nadie.
Hay un muerto en el cementerio más lejano
que se queja tres años
porque tiene un paisaje seco en la rodilla[2]
y el niño que enterraron esta mañana lloraba tanto
que hubo necesidad de llamar a los perros para que callase.

No es sueño la vida. ¡Alerta! ¡Alerta! ¡Alerta!
Nos caemos por las escaleras para comer la tierra húmeda
o subimos al filo de la nieve con el coro de las dalias muertas.
Pero no hay olvido ni sueño:
carne viva. Los besos atan las bocas

---

[1] De este poema se conserva un autógrafo en la Fundación García Lorca que se podría considerar su versión original, fechada el — «9 de Octubre de 1929»—, y con el subtítulo inicial de «Vigilia», posteriormente tachado y convertido en «Nocturno del Brooklyn Bridge». Otra versión del poema, no totalmente coincidente con la anterior, se publicó en 1931 en el volumen *Poesía española. Antología,* de Gerardo Diego (págs. 320-322). Tampoco concuerda plenamente con esta última lo publicado en Norton y Séneca. Entre estas dos ediciones las diferencias se reducen a una errata en el título («Brookling») de Séneca, y a las habituales de puntuación. Es este uno de los poemas donde menos disparidades se encuentran entre ambos textos, a excepción de una distinta distribución estrófica en algunos casos. Seguimos la edición Norton, señalando los préstamos de Séneca, en gran parte coincidentes con lo editado en *Poesía española (PE).*

[2] En *S* punto y coma.

«MÁSCARAS AFRICANAS»

«Vendrán las iguanas vivas a morder a los hombres que no sueñan
y el que huye con el corazón roto encontrará por las esquinas
al increíble cocodrilo quieto bajo la tierna protesta de los astros.»

en una maraña de venas recientes
y al que le duele su dolor le dolerá sin descanso
y el que teme la muerte la llevará sobre los hombros.

Un día
los caballos vivirán en las tabernas
y las hormigas furiosas
atacarán los cielos amarillos que se refugian en los ojos de las vacas[3].
Otro día
veremos la resurrección de las mariposas disecadas
y aun andando por un paisaje de esponjas grises y barcos mudos[4]
veremos brillar nuestro anillo y manar rosas de nuestra lengua.

¡Alerta! ¡Alerta! ¡Alerta!
A los que guardan todavía huellas de zarpa y aguacero,
a aquel muchacho que llora porque no sabe la invención del puente[5]
o a aquel muerto que ya no tiene más que la cabeza y un zapato,
hay que llevarlos al muro donde iguanas y sierpes esperan,
donde espera la dentadura del oso,
donde espera la mano momificada del niño
y la piel del camello se eriza con un violento escalofrío azul.

No duerme nadie por el cielo. Nadie, nadie.
No duerme nadie.
Pero si alguien cierra los ojos[6]
¡azotadlo, hijos míos, azotadlo!
Haya un panorama de ojos abiertos
y amargas llagas encendidas.
No duerme nadie por el mundo. Nadie, nadie[7].
Ya lo he dicho.
No duerme nadie.

---

³ Seguimos la puntuación *S,* aunque sin las blancas separadoras, inexistentes en esta edición.

⁴ En *N* espacio separador después de este verso.

⁵ En *N* a continuación blancas separadoras. Seguimos la edición *S* y *PE,* al igual que en la puntuación de los tres versos siguientes.

⁶ En *S* coma al final de este verso. En *N* el siguiente empieza con mayúscula. En este último caso, seguimos a *S* y *PE.*

⁷ En *N* sin este punto final. Seguimos a *S* y *PE.*

«FOTOMONTAJE DE UNA CALLE CON SERPIENTES Y ANIMALES SALVAJES»

«hay que llevarlos al muro donde iguanas y sierpes esperan
(. . . . .)
Haya un panorama de ojos abiertos
y amargas llagas encendidas.
No duerme nadie por el mundo. Nadie, nadie.»

Pero si alguien tiene por la noche exceso de musgo en las sienes[8],
abrid los escotillones para que vea bajo la luna
las copas falsas, el veneno y la calavera de los teatros.

[8] Seguimos la puntuación de *S* y *PE*.

PANORAMA CIEGO DE NUEVA YORK[1]

Si no son los pájaros[2]
cubiertos de ceniza,
si no son los gemidos que golpean las ventanas de la boda,
serán las delicadas criaturas del aire
que manan la sangre nueva por la oscuridad inextinguible.
Pero no, no son pájaros,
porque los pájaros están a punto de ser bueyes[3].
Pueden ser rocas blancas con la ayuda de la luna[4],
y son siempre muchachos heridos
antes de que los jueces levanten la tela.

Todos comprende el dolor que se relaciona con la muerte[5]
pero el verdadero dolor no está presente en el espíritu.
No está en el aire, ni en nuestra vida[6],
ni en estas terrazas llenas de humo[7].
El verdadero dolor que mantiene despiertas las cosas[8]
es una pequeña quemadura infinita
en los ojos inocentes de los otros sistemas.

---

[1] De este poema se halla un manuscrito en la Fundación García Lorca, presumiblemente su versión original. En ella aparece otro título tachado posteriormente «—Templo del cielo— (Canto del espíritu interior)», además del aceptado como válido, «Panorama ciego de New York» (frente al «Nueva York» de Norton y Séneca). Lo publicado en estas últimas ediciones no coincide plenamente con la versión primera, mientras que las diferencias entre estas dos ediciones se reducen a las habituales de puntuación. Seguimos la edición Norton, a excepción de algunos casos que señalamos a continuación.
[2] En *N* el verso siguiente comienza con mayúscula.
[3] En *S* punto y coma.
[4] En *S* desaparece este signo de puntuación.
[5] En *S* coma al final del verso.
[6] Seguimos en la puntuación a *N* y al *Ms.*
[7] En *N* punto y coma al final del verso, si bien el siguiente empieza con mayúscula.
[8] En *N* coma al final del verso. Seguimos a *S* y al *Ms.*

Un traje abandonado pesa tanto en los hombros[9],
que muchas veces el cielo los agrupan en ásperas manadas;
y las que mueren de parto saben en la última hora
que todo rumor será piedra y toda huella[10], latido.
Nosotros ignoramos que el pensamiento tiene arrabales
donde el filósofo es devorado por los chinos y las orugas
y algunos niños idiotas han encontrado por las cocinas
pequeñas golondrinas con muletas
que sabían pronunciar la palabra amor.

No, no son los pájaros[11].
No es un pájaro el que expresa la turbia fiebre de laguna,
ni el ansia de asesinato que nos oprime cada momento,
ni el metálico rumor de suicidio que nos anima cada madrugada[12]:
es una cápsula de aire donde nos duele todo el mundo[13],
es un pequeño espacio vivo al loco unisón de la luz,
es una escala indefinible donde las nubes y rosas olvidan[14]
el griterío chino que bulle por el desembarcadero de la sangre.
Yo muchas veces me he perdido
para buscar la quemadura que mantiene despiertas las cosas
y sólo he encontrado marineros echados sobre las barandillas
y pequeñas criaturas del cielo enterradas bajo la nieve.
Pero el verdadero dolor estaba en otras plazas
donde los peces cristalizados agonizaban dentro de los troncos[15],
plazas del cielo extraño para las antiguas estatuas ilesas
y para la tierna intimidad de los volcanes.

No hay dolor en la voz. Sólo existen los dientes[16],
pero dientes que callarán aislados por el raso negro.

---

[9] En *S* se elimina esta coma, sustituyendo la puntuación del verso siguiente por un punto.

[10] En *S* desparece este signo de puntuación.

[11] En *N* punto y coma. Seguimos a *S* y al *Ms,* al igual que en la puntuación de los dos versos siguientes.

[12] En *S* este signo de puntuación ha sido sustituido por un punto.

[13] Seguimos la puntuación *S* y del *Ms,* también en el verso siguiente.

[14] En *N* coma al final del verso. Seguimos a *S* y al *Ms.*

[15] En *N* sin puntuación, mientras en *S* aparece punto y coma. Seguimos la puntuación del *Ms.*

[16] En *N* punto y coma. Seguimos a *S* y al *Ms.*

No hay dolor en la voz. Aquí sólo existe la Tierra.
La Tierra[17] con sus puertas de siempre
que llevan al rubor de los frutos.

<hr />

[17] En *N* y *S* «tierra». Utilizamos mayúscula continuando la grafía del verso
anterior.

NACIMIENTO DE CRISTO[1]

Un pastor pide teta por la nieve que ondula
blancos perros tendidos entre linternas sordas.
El Cristito de barro se ha partido los dedos
en los filos eternos de la madera rota.

¡Ya vienen las hormigas y los pies ateridos!
Dos hilillos de sangre quiebran el cielo duro.
Los vientres del demonio resuenan por los valles
golpes y resonancias de carne de molusco.

Lobos y sapos cantan en las hogueras verdes
coronadas por vivos hormigueros del alba.
La mula[2] tiene un sueño de grandes abanicos
y el toro sueña un toro de agujeros y de agua.

El niño llora y mira con un tres en la frente.
San José ve en el heno tres espinas[3] de bronce.
Los pañales exhalan[4] un rumor de desierto
con cítaras sin cuerdas y degolladas voces.

---

[1] De este poema se conserva un autógrafo en la Fundación García Lorca, presumiblemente su primera versión. De las cinco series de versos, de que consta la composición actual, sólo las cuatro primeras aparecen en el manuscrito. La ausencia de la quinta serie se puede explicar por la pérdida de una hoja o por el hecho de que esta última parte en la que habla de Manhattan se haya añadido con posterioridad. No se publicó en vida del autor. Entre las ediciones Norton y Séneca no aparecen diferencias de puntuación, ya que la ausencia de puntos en *N* está suplida por el uso de mayúsculas. Sólo existen dos divergencias textuales, señaladas a continuación. Seguimos la edición Norton.

[2] *S* «luna». Seguimos la ed. *N* y el *Ms.*

[3] *N* «espigas». Seguimos la ed. *N* y el *Ms,* donde aparece «San José ve tres clavos».

[4] *N* «exalan», en evidente falta ortográfica.

La nieve de Manhattan empuja los anuncios
y lleva gracia pura por las falsas ojivas.
Sacerdotes idiotas y querubes de pluma
van detrás de Lutero por las altas esquinas.

LA AURORA[1]

La aurora de Nueva York tiene
cuatro columnas de cieno
y un huracán de negras palomas
que chapotean las aguas podridas[2].
La aurora de Nueva York gime
por las inmensas escaleras
buscando entre las aristas
nardos de angustia dibujada.
La aurora llega y nadie la recibe en su boca
porque allí no hay mañana ni esperanza posible[3]:
A veces las monedas en enjambres furiosos
taladran y devoran abandonados niños.
Los primeros que salen comprenden con sus huesos
que no habrá paraíso ni amores deshojados[4]:
saben que van al cieno de números y leyes,
a los juegos sin arte, a sudores sin fruto.
La luz es sepultada por cadenas y ruidos
en impúdico reto de ciencia sin raíces.
Por los barrios hay gentes que vacilan insomnes
como recién salidas de un naufragio de sangre.

---

[1] De este poema se conserva un manuscrito en la Fundación García Lorca, en el que aparecen dos títulos tachados —«Obrero parado»— y Amanecer». Anteriores a este texto, son las dos primera estrofas que se encuentran en la segunda versión de «El niño Stanton» (la primera está fechada en «New York 1930 5 enero»). La anterioridad de estas estrofas se constata por la inclusión de la mayor parte de sus versos en la versión completa, así como por la reproducción parcial de uno de sus versos («que se comen el alma de los niños») en el segundo autógrafo, «que se comen el». Esta composición no se publicó en vida del autor. Las diferencias entre las ediciones Norton y Séneca se reducen, aparte de las habituales de puntuación, a una diferente distribución estrófica. En Séneca se divide en series de cuatro versos, mientras en Norton no aparecen escisiones estróficas. Seguimos la edición Norton.

[2] En *N* punto y coma.

[3] En *S* punto.

[4] En *S* punto y coma.

«PINOS Y LAGO»

«Quiero llorar diciendo mi nombre,
rosa, niño y abeto a la orilla de este lago,
para decir mi verdad de hombre de sangre
matando en mí la burla y la sugestión del vocablo.»

IV
Poemas del lago Eden Mills

A Eduardo Ugarte

POEMA DOBLE DEL LAGO EDEN[1]

Nuestro ganado pace, el viento espira.

GARCILASO.

Era mi voz antigua
ignorante de los densos jugos amargos.
La adivino lamiendo mis pies
bajo los frágiles helechos mojados.

¡Ay voz antigua de mi amor![2]
¡Ay voz de mi verdad!
¡Ay voz de mi abierto costado,
cuando todas las rosas manaban de mi lengua
y el césped no conocía la impasible dentadura del caballo!

Estás aquí bebiendo mi sangre[3],
bebiendo mi humor de niño pasado[4],

---

[1] La primera versión de este poema se iba a publicar en la *Revista de Avance* (La Habana, 15 de abril de 1930). Sin embargo, no llegó a realizarse, siendo publicada en 1965 por el depositario de este original, Juan Marinello, en *García Lorca en Cuba* (La Habana, Belic, pág. 40). Otra versión más elaborada del poema apareció en Buenos Aires en 1933 *(Poesía,* I, núms. 6-7, octubre-noviembre, págs. 26-28) siendo la única publicación realizada en vida del autor. Su texto siguió el mismo camino que el resto de los poemas publicados en esta revista. De aquí lo tomó Guillermo de Torre para su volumen VI de Losada en 1938, pasando posteriormente a formar parte de la sección de «Variantes», incluida por Bergamín en Séneca. La última versión del poema es la recogida en las ediciones Norton y Séneca. Las diferencias entre estos dos textos se reducen a las habituales de puntuación, más la disparidad en algunos vocablos que señalamos a continuación. Seguimos la edición Norton, aunque contrastada con lo publicado en Séneca, *Poesía (P)* y el manuscrito *(Ms).*

[2] En *S* «¡Ay voz antigua de mi amor,
     ay voz de mi verdad,
     ay voz de mi abierto costado».
Seguimos la puntuación *N* (señalada por el uso de mayúsculas) y los signos de admiración correspondientes, siguiendo los textos de *P* y *Ms.*

[3] Seguimos la puntuación *S* en este verso y en el siguiente.

[4] En *S* «pesado». Seguimos a *N, P* y *Ms.*

165

mientras mis ojos se quiebran en el viento
con el aluminio y las voces de los borrachos.

Dejarme pasar la puerta
donde Eva come hormigas
y Adán fecunda peces deslumbrados.
Dejarme[5] pasar, hombrecillos de los cuernos,
al bosque de los desperezos
y los alegrísimos saltos.

Yo sé el uso más secreto
que tiene un viejo alfiler oxidado
y sé del horror de unos ojos despiertos
sobre la superficie concreta del plato.

Pero no quiero mundo ni sueño, voz divina[6],
quiero mi libertad, mi amor humano
en el rincón más oscuro de la brisa que nadie quiera.
¡Mi amor humano!

Esos perros marinos se persiguen
y el viento acecha troncos descuidados.
¡Oh voz antigua, quema con tu lengua[7]
esta voz de hojalata y de talco!

Quiero llorar porque me da la gana[8],
como lloran los niños del último banco,
porque no soy un hombre, ni un poeta, ni una hoja,
pero sí un pulso herido que ronda las cosas del otro lado.

Quiero llorar diciendo mi nombre[9],
rosa, niño y abeto a la orilla de este lago,

---

[5] S «Déjame». En este verso seguimos la puntuación S. En N el siguiente
verso comienza con mayúscula.

[6] Seguimos la puntuación S.

[7] Seguimos la puntuación S.

[8] Seguimos la puntuación S en los tres primeros versos de esta serie.

[9] Seguimos la puntuación S en los dos primeros versos de esta serie. El segundo verso en N comienza con mayúscula, así como el cuarto de esta serie.

para decir mi verdad de hombre de sangre
matando en mí la burla y la sugestión del vocablo.

No, no. Yo no pregunto, yo deseo[10].
Voz mía libertada que me lames las manos.
En el laberinto de biombos es mi desnudo el que recibe
la luna de castigo y el reloj encenizado.

Así hablaba yo.
Así hablaba yo cuando Saturno detuvo los trenes
y la bruma y el Sueño y la Muerte me estaban buscando.
Me estaban buscando
allí donde mugen las vacas que tienen patitas de paje[11]
y allí donde flota mi cuerpo entre los equilibrios contrarios.

---

[10] S «No, no, yo no pregunto, yo deseo, / voz mía libertada». Seguimos a N, P y Ms.

[11] N «patitas de paja». Seguimos a S, P y Ms.

CIELO VIVO[1]

Yo no podré quejarme
si no encontré lo que buscaba.
Cerca de las piedras sin jugo y los insectos vacíos
no veré el duelo del sol con las criaturas en carne viva.

Pero me iré al primer paisaje
de choques, líquidos y rumores
que trasmina a niño recién nacido
y donde toda superficie es evitada,
para entender que lo que busco tendrá su blanco de alegría
cuando yo vuele mezclado con el amor y las arenas.

Allí no llega la escarcha de los ojos apagados
ni el mugido del árbol asesinado por la oruga.
Allí todas las formas guardan entrelazadas
una sola expresión frenética de avance.

No puedes avanzar por los enjambres de corolas
porque el aire disuelve tus dientes de azúcar[2].
Ni puedes acariciar la fugaz hoja del helecho
sin sentir el asombro definitivo del marfil.

Allí bajo las raíces y en la médula del aire
se comprende la verdad de las cosas equivocadas[3].

---

[1] De este poema se conserva un autógrafo en la Fundación García Lorca, presumiblemente su primera versión, fechada en la «cabaña de Dew-Kum-Inn, Edem Mills-Vermont-24 de agosto-1929» y en la que aparece el calificativo de «Bueno» de manos del poeta. En 1938 se publicó otra versión en la revista *Carteles* (La Habana, 23 de enero, pág. 30) presentada por Adolfo Salazar. Su texto responde al manuscrito dejado por Lorca a Dulce María Loynaz en 1930, durante su estancia en Cuba. La tercera versión es la publicada en las ediciones Norton y Séneca. Las diferencias entre ellas son casi inexistentes, reduciéndose a las frecuentes de puntuación. Seguimos la edición Norton.

[2] En *S* coma al final del verso.

[3] En *S* coma al final del verso.

El nadador de níquel que acecha la onda más fina
y el rebaño de vacas nocturnas con rojas patitas de mujer.

Yo no podré quejarme
si no encontré lo que buscaba[4]
pero me iré al primer paisaje de humedades y latidos
para entender que lo que busco tendrá su blanco de alegría
cuando yo vuele mezclado con el amor y las arenas.

Vuelo fresco de siempre sobre lechos vacíos[5].
Sobre grupos de brisas y barcos encallados.
Tropiezo vacilante por la dura eternidad fija
y amor al fin sin alba. Amor. ¡Amor visible!

---

[4] En *S* punto y coma.
[5] En *S* coma al final del verso.

«ESCENA RURAL AMERICANA»

«Stanton, vete al bosque con tus arpas judías,
vete para aprender celestiales palabras
que duermen en los troncos, en nubes, en tortugas,
(. . . . .)
para que aprendas, hijo, lo que tu pueblo olvida.»

V
En la cabaña del Farmer

(Campo de Newburg)

A Concha Méndez
y Manuel Altolaguirre

EL NIÑO STANTON[1]

Do you like me?
Yes, and you?
Yes, yes.

Cuando me quedo solo
me quedan todavía tus diez años[2]
los tres caballos ciegos,
tus quince rostros con el rostro de la pedrada
y las fiebres pequeñas heladas sobre las hojas del maíz.
Stanton. Hijo mío. Stanton[3].
A las doce de la noche el cáncer salía por los pasillos
y hablaba con los caracoles vacíos de los documentos[4].
El vivísimo cáncer lleno de nubes y termómetros
con su casto afán de manzana para que lo piquen los ruiseñores.
En la casa donde hay un cáncer[5]
se quiebran las blancas paredes en el delirio de la astronomía
y por los establos más pequeños y en las cruces de los bosques

---

[1] De este poema se conservan dos autógrafos en la Fundación García Lorca.
El primero, totalmente manuscrito, está fechado en «New York 1930 5 enero»
y aparece bajo el título de «Stanton». El segundo, denominado «El niño Stanton», es una copia mecanografiada del anterior con numerosas correcciones au-
tógrafas, figurando en sus páginas las dos primeras estrofas de «La aurora» antes citadas. En 1938 Adolfo Salazar publicó otra versión del poema en *Carteles*
(La Habana, 23 de enero, pág. 30). Este otro texto, llamado «Stanton», reproduce el manuscrito entregado por Lorca en 1930 a una de las hermanas Loynaz, durante su estancia en Cuba, al igual que sucedió con el autógrafo de «Cielo
vivo». Este último manuscrito está más próximo al fechado en enero de 1930,
mientras el que aparece parcialmente mecanografiado se acerca a la versión del
poema, editada por Norton y Séneca. Las diferencias entre estas dos ediciones
se reducen a las habituales de puntuación. Seguimos la edición Norton.
[2] En *N* ausencia de puntuación en este verso y el siguiente. Seguimos a *S*.
[3] *S* «Stanton, hijo mio, Stanton». Seguimos a *N*, y a los dos primeros manuscritos citados.
[4] *S* coma al final del verso.
[5] *N* y *S* «donde no hay un cáncer». Error evidente por el sentido de los
versos, que corregimos según los *Ms* mencionados, y que evidencian la fuente
común de *N* y *S*.

brilla por muchos años el fulgor de la quemadura.
Mi dolor sangraba por las tardes
cuando tus ojos eran dos muros[6],
cuando tus manos eran dos países
y mi cuerpo rumor de hierba.
Mi agonía buscaba su traje,
polvorienta, mordida por los perros[7],
y tú la compañaste sin temblar
hasta la puerta del agua oscura.
¡Oh mi Stanton[8], idiota y bello entre los pequeños animalitos,
con tu madre fracturada por los herreros de las aldeas,
con un hermano bajo los arcos,
otro comido por los hormigueros,
y el cáncer sin alambradas latiendo por las habitaciones!
Hay nodrizas que dan a los niños
ríos de musgo y amargura de pie
y algunas negras suben a los pisos para repartir filtro de rata.
Porque es verdad que la gente
quiere echar las palomas a las alcantarillas
y yo sé lo que esperan los que por la calle
nos oprimen de pronto las yemas de los dedos.

Tu ignorancia es un monte de leones, Stanton.
El día que el cáncer te dio una paliza
y te escupió en el dormitorio donde murieron los húespedes en
                                              [la epidemia
y abrió su quebrada rosa de vidrios secos y manos blandas
para salpicar de lodo las pupilas de los que navegan,
tú buscaste en la hierba mi agonía,
mi agonía con flores de terror,
mientras que el agrio cáncer mudo que quiere acostarse contigo
pulverizaba rojos paisajes por las sábanas de amargura[9]

---

[6] En *N* punto al final de este verso. Seguimos a *S* y al *Ms* mecanografiado, donde falta el tercer verso «cuando tus manos eran dos países», pero no aparece interrupción alguna en el desarrollo de la idea.

[7] En *N* falta esta última coma.

[8] Seguimos la puntuación *S* hasta el verso «otro comido por los hormigueros».

[9] En *S* coma al final de este verso.

y ponía sobre los ataúdes
helados arbolitos de ácido bórico.
Stanton, vete al bosque con tus arpas judías,
vete para aprender celestiales palabras
que duermen en los troncos, en nubes, en tortugas[10],
en los perros dormidos, en el plomo, en el viento,
en lirios que no duermen, en aguas que no copian[11],
para que aprendas, hijo, lo que tu pueblo olvida.

Cuando empiece el tumulto de la guerra
dejaré un pedazo de queso para tu perro en la oficina.
Tus diez años serán las hojas
que vuelan en los trajes de los muertos[12].
Diez rosas de azufre débil
en el hombro de mi madrugada.
Y yo, Stanton, yo solo, en olvido,
con tus caras marchitas sobre mi boca,
iré penetrando a voces las verdes estatuas de la Malaria[13].

---

[10] En *N* no aparece esta última coma. Tampoco en el verso siguiente.

[11] Seguimos la puntuación *S* en esta última coma, así como en el verso siguiente.

[12] En *S* coma al final del verso.

[13] En *N* «malaria». Seguimos la ed. *S* y los dos primeros manuscritos citados.

VACA[1]

A Luis Lacasa

Se tendió la vaca herida.
Árboles y arroyos trepaban por sus cuernos.
Su hocico sangraba en el cielo.

Su hocico de abejas
bajo el bigote lento de la baba.
Un alarido blanco puso en pie la mañana.

Las vacas muertas y las vivas,
rubor de luz o miel de establo,
balaban con los ojos entornados.

Que se enteren las raíces
y aquel niño que afila su navaja
de que ya se pueden comer la vaca.

Arriba palidecen
luces[2] y yugulares.
Cuatro pezuñas tiemblan[3] en el aire.

Que se entere la luna
y esa noche de rocas amarillas
que ya se fue la vaca de ceniza.

---

[1] Este poema se publicó en vida del autor, en la *Revista de Occidente* (t. XXXI, enero de 1931, págs. 24-25). No se conserva manuscrito. La misma versión de *RO* pasó probablemente a Bergamín, ya que sólo existe una variante con respecto a las ediciones Norton y Séneca. Las diferencias entre estos dos últimos textos son inexistentes, a excepción de un error mecanográfico que señalamos seguidamente.

[2] *RO* «lunas». Posible corrección del autor, ya que *N* y *S* coinciden en el nuevo vocablo «luces».

[3] *N* «tiemblen», evidente error mecanográfico por el sentido de la frase.

Que ya se fue balando
por el derribo de los cielos yertos,
donde meriendan muerte los borrachos.

NIÑA AHOGADA EN EL POZO[1]

(GRANADA Y NEWBURG)

Las estatuas sufren con los ojos por la oscuridad de los ataúdes,
pero sufren mucho más por el agua que no desemboca.
...que no desemboca[2].

El pueblo corría por las almenas rompiendo las cañas de los
[pescadores[3].
¡Pronto! ¡Los bordes! ¡Deprisa! Y croaban las estrellas tiernas.
...que no desemboca[4].

---

[1] De este poemas se conservan dos textos autógrafos en los archivos de la
Fundación García Lorca. El primero, existente en el manuscrito de «Asesinato
—Dos veces en la calle 42—», contiene solamente las dos primeras estrofas.
Éstas formaban parte de una composición inicial, titulada «Niña en el pozo»,
donde lo que hoy constituye el poema «Asesinato» sería su primera parte y las
estrofas citadas comprondrían el resto del poema. Sin embargo, estas últimas
estrofas fueron tachadas por el autor, así como el título de «Niña en el pozo»,
adjudicándoles a los versos no desechados un nuevo título «Asesinato», bajo el
que hoy los conocemos. Las dos estrofas tachadas no fueron aprovechadas en el
segundo autógrafo del poema, fechado en «New York 8 de Diciembre 1929», a
excepción del verso «croaban las estrellas tiernas». Sin embargo, la imagen que
aparece en su último verso «niña de piedra» derivará en el título pensado para
esta segunda redacción del poema, «Estatua», también desechado posteriormente por el autor, que adoptará el definitivo de «Niña ahogada en el pozo
—Granada y Newburg—». Además de este segundo autógrafo, el poema fue
publicado en vida del autor en *Poesía española. Antología: 1915-1931* de Gerardo
Diego (Madrid, Signo, 1932, págs. 322-24) reproducido posteriormente en su
nueva edición de 1934 con una variante en el verso «combate de raíces y soledad prevista». De aquí lo tomó Guillermo de Torre para incluirlo en su tomo
VI de Losada (1938). Las ediciones Norton y Séneca presentan distintas variantes, como señalamos a continuación. Seguimos la edición Norton, aunque con
adaptaciones de lo publicado en *Poesía Española. Antología (PEA)* y en Séneca *(S)*..

[2] En *N* y *S* sin puntos suspensivos al comienzo del verso. Seguimos *PEA* y
el propio sentido del poema, también en el punto final con que termina el estribillo, no existente en *N*.

[3] Seguimos la puntuación de *S* y *PEA*.

[4] Ausencia de puntos suspensivos en *N*. Seguimos a *S* y *PEA*.

Tranquila en mi recuerdo, astro, círculo, meta,
lloras por las orillas de un ojo de caballo[5].
...que no desemboca.

Pero nadie en lo oscuro podrá darte distancias[6].
sino afilado límite: porvenir de diamante.
...que no desemboca.

Mientras la gente busca silencios de almohada
tú ardes para siempre definida en tu anillo.
...que no desemboca.

Eterna en los finales de unas ondas que aceptan
combate de raíces y soledad prevista[7].
...que no desemboca.

¡Ya vienen por las rampas! ¡Levántate del agua!
¡Cada punto de luz te dará una cadena!
...que no desemboca.

Pero el pozo te alarga manecitas de musgo[8],
insospechada ondina de tu propia ignorancia.
...que no desemboca.

No, que no desemboca. Agua fija en un punto[9],
respirando con todos sus violines sin cuerdas
en la escala de las heridas y los edificios deshabitados.
¡Agua que no desemboca!

---

[5] Seguimos la puntuación S, también en el verso siguiente (que en N no lleva puntos suspensivos, pero sí en PEA).

[6] En N este verso termina en dos puntos y comienza con minúscula. Seguimos a S y PEA, también en el punto final del verso siguiente.

[7] En N sin punto final. Seguimos a S y PEA.

[8] Sin coma en N. Seguimos a S y PEA.

[9] En N comienzan con mayúscula los dos versos siguientes. Seguimos la puntuación S.

«MATADERO»

«En la gran plaza desierta
mugía la bovina cabeza recién cortada
y eran duro cristal definitivo
las formas que buscaban el giro de la sierpe.

Para ver que todo se ha ido
dame tu mudo hueco, ¡amor mío!»

VI

Introducción a la muerte

(Poemas de la soledad en Vermont)

Para Rafael Sánchez Ventura

MUERTE[1]

A Isidoro de Blas[2]

¡Qué esfuerzo![3].
¡Qué esfuerzo del caballo[4]
por ser perro!
¡Qué esfuerzo del perro por ser golondrina!
¡Qué esfuerzo de la golondrina por ser abeja!
¡Qué esfuerzo de la abeja por ser caballo!
Y el caballo,
¡qué flecha aguda exprime de la rosa!,
¡qué rosa gris levanta de su belfo![5].
Y la rosa,
¡qué rebaño de luces y alaridos[6]
ata en el vivo azúcar de su tronco!
Y el azúcar,
¡qué puñalitos sueña en su vigilia!
Y los puñales diminutos,
¡qué luna sin establos, qué desnudos,
piel eterna y rubor, andan buscando![7]

---

[1] De este poema no se conserva manuscrito. Fue publicado en vida del autor por la *Revista de Occidente* (1931, t. XXI, enero, págs. 21-22) pasando su texto al volumen VI de Losada y, de aquí, a la sección de «Variantes» de Bergamín. Lo publicado por Norton y Séneca difiere ligeramente de este texto, existiendo entre estas ediciones algunas diferencias, que señalamos a continuación. Seguimos la edición Norton, aunque con adaptaciones de lo publicado en Séneca y en la *Revista de Occidente (RO)*.

[2] La dedicatoria, ausente en *S*, en *RO* consta como «A Luis de la Serna».

[3] En *N* ausencia de admiración y mayúsculas hasta el verso «¡Qué esfuerzo por la abeja de ser caballo!» Seguimos a *S* y *RO*.

[4] En *S* un único verso hasta el final de la admiración. Seguimos la distribución *N* y *RO*.

[5] En *N* punto y coma al final de este verso, así como en los versos «ata en el vivo azúcar de su tronco!» y «¡qué puñalitos sueña en su vigilia!». Seguimos la puntuación *S*.

[6] En *N* ausencia de admiración en estos dos versos. Seguimos a *S* y *RO*.

[7] En *N* «¡qué luna sin establos!, ¡qué desnudos!, / piel eterna y rubor, andan buscando». Seguimos a *S* y *RO*.

Y yo, por los aleros,
¡qué serafín de llamas busco y soy![8]
Pero el arco de yeso,
¡qué grande, qué invisible, qué diminuto![9]
sin esfuerzo.

---

[8] Ausencia de admiración en *N* (seguimos a *S* y *RO*) y punto y coma al final del verso (seguimos la edición *S*).

[9] En *S* la admiración continúa hasta el verso siguiente. Seguimos a *N* y *RO*.

NOCTURNO DEL HUECO[1]

I

Para ver que todo se ha ido[2],
para ver los huecos y los vestidos,
¡dame tu guante de luna,
tu otro guante de hierba[3],
amor mío!

Puede el aire arrancar los caracoles
muertos sobre el pulmón[4] del elefante
y soplar los gusanos ateridos
de las yemas de luz o las manzanas.

Los rostros bogan impasibles
bajo el diminuto griterío de las hierbas
y en el rincón está el pechito de la rana[5],
turbio de corazón y mandolina.

---

[1] De este poema no se conserva manuscrito. Fue publicado en vida del autor en la revista dirigida por Pablo Neruda, *Caballo verde para la poesía* (octubre de 1935) con aclaración, «Del libro inédito *Poeta en Nueva York*». De aquí lo tomó De Torre para su volumen VI de 1938, pasando posteriormente a la sección «Variantes» de Bergamín, pero con las cursivas invertidas. Las diferencias existentes entre el texto base de esta edición y lo publicado por Norton representan el caso textual más conflictivo de estos poemas. La no coincidencia de varias de sus estrofas pone de manifiesto su procedencia de fuentes distintas. La edición Séneca sigue la versión de *Caballo verde*, excepto en sus cinco primeros versos. Dada la disparidad entre ambas versiones, seguimos el texto editado por *Caballo verde para la poesía (CV)*, que evidencia una mayor elaboración poética.

[2] En *N* sin cursiva en estos cinco versos, al igual que las distintas series del poema que forman el estribillo, y sin signos de puntuación. Tampoco aparece en esta edición el indicador de que se trata de la primera parte del poema. Sólo se transcriben los signos de admiración.

[3] En *N* y *S* «tu otro guante perdido en la hierba», lo que evidencia la utilización de una fuente común en estos cinco primeros versos, diferente a la versión de *CV*.

[4] *N* «piel».

[5] *N* «y en el rincón o en el pechito de la rana».

En la gran plaza desierta
mugía la bovina cabeza recién cortada
y eran duro cristal definitivo
las formas que buscaban el giro de la sierpe[6].

Para ver que todo se ha ido
dame tu mudo hueco, ¡amor mío!
Nostalgia de academia y cielo triste[7].
¡Para ver que todo se ha ido![8].

Dentro de ti, amor mío, por tu carne[9],
¡qué silencio de trenes boca arriba!,
¡cuánto brazo de momia florecido!
¡qué cielo sin salida, amor, qué cielo!

Es la piedra en el agua y es la voz en la brisa[10]
bordes de amor que escapan de su tronco sangrante.
Basta tocar el pulso de nuestro amor presente
para que broten flores sobre los otros niños.

Para ver que todo se ha ido.
Para ver los huecos de nubes y ríos.

---

[6] En *N* después de este verso separación con puntos.

[7] En *N* «Donde el cielo agrupa en silencio sus cabañas abandonadas». El siguiente verso sin admiración y en el verso anterior, ausencia de coma antes del signo admirativo.

[8] A continuación (y después de blancas separadoras) en *N* aparece la siguiente serie de versos:

> «Aquí cantan los huecos de mañana
> con los huecos de ayer sobre mis manos
> dos sapos de ceniza, dos rumores
> de mi apariencia que mana y borbotea.»

[9] Toda esta estrofa en *N* entre paréntesis, aunque conservando los signos de puntuación, que en el último verso se transforman en: «¡qué cielo sin salida! ¡amor! ¡qué cielo!».

[10] *N* «en el aire». En *N* se invierte el orden de esta estrofa y la siguiente, apareciendo el último verso de esta serie sin signos de admiración y sin mayúscula inicial, «para ver que todo se ha ido», al igual que en los dos versos anteriores.

Dame tus ramos de laurel, amor.
¡Para ver que todo se ha ido!

Ruedan los huecos puros, por mí, por ti, en el alba
conservando las huellas de las ramas de sangre
y algún perfil de yeso tranquilo que dibuja[11]
instantáneo dolor de luna apuntillada.

Mira formas concretas que buscan su vacío[12].
Perros equivocados y manzanas mordidas.
Mira el ansia, la angustia de un triste mundo fósil
que no encuentra el acento de su primer sollozo[13].

Cuando busco[14] en la cama los rumores del hilo
has venido, amor mío, a cubrir mi tejado.
El hueco de una hormiga puede llenar el aire,
pero tú vas gimiendo sin norte por mis ojos.

No, por mis ojos no, que ahora me enseñas
cuatro ríos ceñidos en tu brazo.
En la dura barraca donde la luna prisionera
devora a un marinero delante de los niños.

Para ver que todo se ha ido[15],
¡amor inexpugnable, amor huido!
No, no me des tu hueco[16],
¡que ya va por el aire el mío!
¡Ay de ti, ay de mí, de la brisa![17]
Para ver que todo se ha ido.

---

[11] En *N* «y algún perfil de yeso, que tranquilo dibuja
    instantánea sorpresa de luna apuntillada».
[12] En *N* este verso, más el siguiente, forman parte de la estrofa anterior,
aunque sin el signo de puntuación que lo separa.
[13] Este verso y el anterior no aparecen en la edición *N*.
[14] *N* «cuento».
[15] En *N* sin coma al final del verso, y mayúscula al comienzo del siguiente.
[16] En *N* punto en vez de coma, aunque el verso siguiente comienza con minúscula.
[17] Verso inexistente en *N*.

187

Yo[18].
Con el hueco blanquísimo de un caballo[19],
crines de ceniza. Plaza pura y doblada.

Yo.
Mi hueco traspasado con las axilas rotas[20].
Piel seca de uva neutra y amianto de madrugada.

Toda la luz del mundo cabe dentro de un ojo.
Canta el gallo y su canto dura más que sus alas[21].

Yo.
Con el hueco blanquísimo de un caballo[22].
Rodeado de espectadores que tienen hormigas en las palabras.

En el circo del frío sin perfil mutilado[23].
Por los capiteles rotos de las mejillas desangradas.

Yo.
Mi hueco sin ti, ciudad, sin tus muertos que comen[24].
Ecuestre por mi vida definitivamente anclada.

Yo.
No hay siglo nuevo ni luz reciente.
Sólo un caballo azul y una madrugada[25].

---

[18] En *N* con anterioridad a este verso aparece la estrofa que a continuación citamos, seguida de blancas separadoras.

> «Ya terminaron las hormigas
> Alguna leve sierpe de aire y hojas
> subía por el muro de cal casi ahogada.»

[19] En *N* verso iniciado con minúscula y sin coma final. Coma en vez de punto en el verso siguiente.
[20] En *N* inicio del verso con minúscula y sin punto final.
[21] En *N* estos dos versos aparecen escritos sin cursiva, entre paréntesis, y sin punto al final del primer verso.
[22] En *N* verso iniciado con minúscula, y sin punto final, aunque su presencia se sobreentiende por el uso de mayúscula al comienzo del siguiente.
[23] En *N* sin signo de puntuación.
[24] En *N* sin coma después de «ciudad», y sin punto al final del verso.
[25] En *N* sin cursiva y entre paréntesis.

PAISAJE CON DOS TUMBAS
Y UN PERRO ASIRIO[1]

Amigo,
levántate para que oigas aullar
al perro asirio.
Las tres ninfas del cáncer han estado bailando,
hijo mío.
Trajeron unas montañas de lacre rojo
y unas sábanas duras donde estaba el cáncer dormido.
El caballo tenía un ojo en el cuello
y la luna estaba en un cielo tan frío
que tuvo que desgarrar su monte de Venus
y ahogar en sangre y ceniza los cementerios antiguos.

Amigo,
despierta, que los montes todavía no respiran
y las hierbas de mi corazón están en otro sitio.
No importa que estés lleno de agua de mar.
Yo amé mucho tiempo a un niño
que tenía una plumilla en la lengua
y vivimos cien años dentro de un cuchillo.
Despierta. Calla. Escucha. Incorpórate un poco.
El aullido
es una larga lengua morada que deja
hormigas de espanto y licor de lirios.
Ya viene hacia la roca. ¡No alargues tus raíces!
Se acerca. Gime. No solloces en sueños, amigo.

¡Amigo!
Levántate para que oigas aullar
al perro asirio.

---

[1] De este poema no se conserva manuscrito. Fue publicado en vida del autor en la revista *1616* (VII, 1935, págs. 4-5) a cargo de Manuel Altolaguirre, y posteriormente en *Universidad* (1937, pág. 4) de donde lo tomó Guillermo de Torre para su edición de Losada en 1938. Al texto de *1616* remite una de las hojas recordatorio del material enviado por Bergamín a Norton. Las diferencias entre las ediciones Séneca y Norton son inexistentes.

RUINA[1]

A Regino Sáinz de la Mata

Sin encontrarse[2].
Viajero por su propio torso blanco.
¡Así iba el aire![3].

Pronto se vio que la luna
era una cavalera de caballo
y el aire una manzana oscura.

Detrás de la ventana[4],
con látigos y luces, se sentía
la lucha de la arena con el agua.

Yo vi llegar las hierbas
y les eché un cordero que balaba
bajo sus dientecillos y lancetas.

Volaba dentro de una gota
la máscara de pluma y celuloide
de la primer paloma.

---

[1] De este poema no se conserva manuscrito. Fue publicado en vida del autor en la *Revista de Occidente* (t. XXI, enero de 1931, pág. 20) pasando después a *Poesía española. Antología: 1915-1931* de Gerardo Diego (Madrid, Signo, 1932, págs. 318-320) aunque con varias erratas, y sin la dedicatoria que consta en la primera versión, y en lo publicado por Norton. Las diferencias entre las ediciones Séneca y Norton afectan a problemas de puntuación, y a la ausencia de tres versos en la edición Norton, presentes en Séneca y en la *Revista de Occidente (RO)*. Seguimos el texto que se deriva de estas dos últimas publicaciones, aunque contrastado con lo aparecido en Norton.
[2] En *S* coma al final del verso, al igual que en el siguiente. Seguimos a *N* y *RO*.
[3] En *RO* sin signos de admiración.
[4] En *S* sin signos de puntuación en este verso y en el siguiente. Seguimos a *N* y *RO*.

Las nubes en manada[5]
se quedaron dormidas contemplando
el duelo de las rocas con el alba.

Vienen las hierbas, hijo[6].
Ya suenan sus espadas de saliva
por el cielo vacío.

Mi mano, amor. ¡Las hierbas!
Por los cristales rotos de la casa
la sangre desató sus cabelleras.

Tú solo y yo quedamos.
Prepara tu esqueleto para el aire.
Yo sólo y tú quedamos.

Prepara tu esqueleto[7].
Hay que buscar de prisa, amor, de prisa,
nuestro perfil sin sueño.

---

[5] En *N* faltan estos tres versos. En *S*, «Las nubes, en manada».
[6] Seguimos la puntuación *S*. En *N* punto y coma.
[7] Seguimos la puntuación *S*. En *N* punto y coma.

AMANTES ASESINADOS POR UNA PERDIZ[1]

—Los dos lo han querido —me dijo su madre—. Los dos...[2].

—No es posible, Señora[3], dije yo. Usted tiene demasiado temperamento[4] y a su edad ya se sabe por qué caen los alfileres del rocío.

—Calle Vd. Luciano, calle Vd...[5].

No, no, Luciano no.

—Para resistir este nombre, necesito contener el dolor de mis recuerdos. ¿Y usted cree que aquella pequeña dentadura y esa mano de niño que se han dejado olvidada dentro de la ola, me pueden consolar de esta tristeza?[6].

—Los dos lo han querido —me dijo su prima—. Los dos[7].

Me puse a mirar el mar y lo comprendí todo.

---

[1] De este poema en prosa se conservan tres versiones. La primera recoge el original destinado a su publicación en la revista *Verso y prosa* de Murcia. (Actualmente en los archivos de Juan Guerrero Ruiz en la Univesidad de Puerto Rico, publicado por Jacques Comincioli, *Federico García Lorca. Textes inédits et documents critiques,* Lausanne, Rencontre, 1970, págs. 116-25.) La segunda es un texto mecanografiado con abundantes correcciones manuscritas del autor, realizado como ejemplar de prueba de la versión anterior (Publicado en 1950 por Rafael Roca, *Planas de Poesía, Homenaje a Maupassant,* núm. XI, Las Palmas, 21 de diciembre, págs. 11-16). Y por último, la versión publicada en *Ddooss,* acompañada de un autorretrato de la época neoyorquina (núm. 3, Valladolid, marzo, págs. 13-16) a la que alude García Lorca en su hoja recordatorio, transcrita por Humphries. Esta versión presenta una diferente distribución gráfica, más cercana ahora a la poesía, y numerosas variantes con respecto a *Verso y Prosa (VP),* que señalamos a continuación. Seguimos, por tanto, lo publicado en *Ddooss.*

[2] En *VP* texto precedido de la dedicatoria «Homenaje à Guy de Maupassant». También cambia la puntuación de la frase «—Los dos lo han querido, me dijo su madre. / —Los dos».

[3] Con minúscula en *VP.*

[4] Seguido en *VP* de «y poca yedra para sus ojos».

[5] En *VP* «—Calle usted, Luciano, calle usted. Para resistir este nombre se necesita ser dueño de muchas botellas de anís».

[6] En *VP* la frase siguiente aparece escrita a continuación y con diferente puntuación «—Los dos lo han querido, me dijo su prima. Los dos».

[7] A partir de aquí y después de un punto y aparte aparece en *VP* «Aquella cigarra que yo tenía había perdido sus 40 mil ojos. 40. Cuarenta. ¡Ay niña, niño, niño, niño! —Eñe de mis ojos. Eñe de la perspectiva. ¿Será posible...».

¿Será posible que del pico de esa paloma cruelísima que tiene corazón de elefante salga la palidez lunar de aquel trasatlántico[8] que se aleja?

—Recuerdo que tuve que hacer varias veces uso de mi cuchara para defenderme de los lobos. Yo no tenía culpa ninguna; usted lo sabe. ¡Dios mío! Estoy llorando[9].

—Los dos lo han querido —dije yo[10]—. Los dos. Una manzana será siempre un amante, pero un amante no podrá ser jamás una manzana.

—Por eso se han muerto, por eso. Con 20 ríos y un solo invierno desgarrado[11].

Fue muy sencillo. Se amaban por encima de todos los museos[12].

Mano derecha,
con mano izquierda.
Mano izquierda,
con mano derecha.
Pie derecho,
con pie derecho.
Pie izquierdo,
con nube.
Cabello,
con planta de pie.

---

[8] En *VP* no aparece «que se aleja».

[9] Todo este párrafo aparece en *VP* como «Los lobos que van por la mesa lo han querido. Yo no tengo culpa ninguna. Ni anémona. Dios mío. Estoy llorando».

[10] *VP* «dije yo».

[11] Esta intervención no está precedida de guión en *VP*, mientras el numeral aparece representado como «20 ríos».

[12] En *VP* sin guión al comienzo de la intervención, diferente distribución gráfica, y numerosas variantes textuales, como podemos ver en el párrafo siguiente:

> «Fue muy sencillo. Se amaban por encima de todos los museos. Mano derecha con mano izquierda. Mano izquierda con mano derecha. Pie derecho con pie derecho. Pie izquierdo con nube. Cabello con planta de pie. ¡Oh mejilla izquierda! ¡Oh noroeste de barquitos y hormigas de mercurio! Dame el pañuelo, Genoveva. Voy a llorar. Con una A y una E y una L atravesadas en mi garganta. Se acostaban. No había otro espectáculo más tierno. Muslo izquierdo con antebrazo izquierdo. Ojos cerrados, con uñas abiertas. Cintura con nuca y con playa. Y las cuatro orejitas como cuatro ángeles en la choza de la nieve.»

Planta de pie,
con mejilla izquierda.

¡Oh, mejilla izquierda! ¡Oh, noroeste de barquitos y hormigas de mercurio!... Dame el pañuelo Genoveva; voy a llorar... Voy a llorar hasta que de mis ojos salga una muchedumbre de siemprevivas... Se acostaban.

No había otro espectáculo más tierno...

¿Me ha oído usted?

¡Se acostaban!

Muslo izquierdo,
con antebrazo izquierdo.

Ojos cerrados,
con uñas abiertas.

Cintura, con nuca,
y con playa.

Y las cuatro orejitas eran cuatro ángeles en la choza de la nieve. Se querían. Se amaban. A pesar de la Ley de la gravedad. La diferencia que existe entre una espina de rosa y una Star es sencillísima[13].

Cuando descubrieron esto, se fueron al campo. —Se amaban[14].

¡Dios mío! Se amaban ante los ojos de los químicos[15].

Espalda, con tierra,
tierra, con anís.

Luna, con hombro dormido.

Y las cinturas se entrecruzaban con un rumor de vidrios.

Yo vi temblar sus mejillas cuando los profesores de la Universidad les traían miel y vinagre en una esponja diminuta. Muchas veces tenían que espantar a los perros que gemían por las yedras blanquísimas del lecho. Pero ellos se amaban.

---

[13] En *VP* sin punto y aparte.

[14] En *VP* sin guión y formando un solo párrafo con la frase siguiente, donde aparece «Dios mío» sin admiración.

[15] En *VP* sin punto y aparte, y cambiando totalmente el contenido hasta la expresión «Pero ellos se amaban», como podemos ver en el texto siguiente:

> «Espalda con tierra. Tierra con anís. Y las manos con más de dieci-
> siete dedos. Una línea rosa iba desde el corazón a sus dientecitos y el
> perro como se olvidó de la RR perdió sus cuatro patas. Pero ellos se
> amaban.»

Eran un hombre y una mujer[16],
o sea,
un hombre
y un pedacito de tierra,
un elefante
y un niño,
un niño y un junco.
Eran dos mancebos desmayados
y una pierna de níquel.
¡Eran los barqueros!
Sí.
Eran los terribles barqueros del Guadiana que machacan
con sus remos todas las rosas del mundo[17].

El viejo marino escupió el tabaco de su boca y dio grandes
voces para espantar a las gaviotas. Pero ya era demasiado
tarde.

Cuando las mujeres enlutadas llegaron a la casa del Gobernador éste comía tranquilamente almedras verdes y pescados
fríos en un exquisito plato de oro. Era preferible no haber hablado con él.

En las islas Azores.

Casi no puedo llorar.

Yo puse dos telegramas, pero desgraciadamente ya era
tarde.

Muy tarde.

---

[16] En *VP* diferente disposición gráfica, y abundantes variantes en el texto:

«Eran un hombre y una mujer o sea un hombre y un pedacito de tierra, un elefante y un niño, un mono y un junco. Eran dos medios mancebos y una pierna de níquel. ¡Eran los barqueros! Sí. Los barqueros del
Sena que machacan todas las rosas del mundo.»

[17] A partir de aquí, y hasta la frase final de «Esta es la causa, querido capitán,
de mi extraña melancolía», el texto de *VP* es totalmente diferente:

«Pero se amaban. Y amarse, ya lo sabemos todos, es partir almendras con gran cuidado y sin que se rompa la fruta de los vecinos.

Ocurrió. Y la Prensa lo dijo. Lo leímos a la luz de la gillette.

En las islas Azores. Casi no puedo llorar. Cuando puse el diminuto
telegrama ya era tarde.

Tarde. Muy tarde.»

Sólo sé deciros que dos niños que pasaban por la orilla del bosque, vieron una perdiz que echaba un hilito de sangre por el pico.

Esta es la causa, querido capitán, de mi extraña melancolía.

LUNA Y PANORAMA DE LOS INSECTOS

(POEMA DE AMOR)[1]

> *La luna en el mar riela*[2],
> *en la lona gime el viento,*
> *y alza en blando movimiento*
> *olas de plata y azul.*
>
> ESPRONCEDA.

Mi corazón tendría la forma de un zapato
si cada aldea tuviera una sirena.
Pero la noche es interminable cuando se apoya en los enfermos
y hay barcos que buscan ser mirados para poder hundirse tran-
Si el aire sopla blandamente   [quilos.
mi corazón tiene la forma de una niña.
Si el aire se niega a salir de los cañaverales
mi corazón tiene la forma de una milenaria boñiga de toro.

¡Bogar![3] bogar, bogar, bogar,
hacia el batallón de puntas desiguales[4],
hacia un paisaje de acechos pulverizados.
Noche igual de la nieve, de los sistemas suspendidos[5].
Y la luna.
¡La luna!
Pero no la luna.

---

[1] Este poema no se editó en vida del autor. Se conserva un manuscrito en la Fundación García Lorca, fechado en «New York – 4 de Enero 1930». Otra versión es la publicada en Norton y Séneca, aunque entre estas ediciones existen diferencias de puntuación, como señalamos en las notas citadas más abajo. Seguimos la edición Norton.

[2] En *N* sin coma final. Restituimos esta coma, así como la del verso siguiente, existentes en Espronceda.

[3] En *S* sin signos de admiración.

[4] En *N* sin coma final. Seguimos la ed. *S*.

[5] En *N* sin punto final. Seguimos la ed. *S*.

La raposa de las tabernas.
El gallo japonés que se comió los ojos.
Las hierbas masticadas[6].

No nos salvan las solitarias en los vidrios[7],
ni los herbolarios donde el metafísico
encuentra las otras vertientes del cielo.
Son mentira las formas. Sólo existe
el círculo de bocas del oxígeno.
Y la luna.
Pero no la luna.
Los insectos[8].
Los muertos diminutos por las riberas.
Dolor en longitud.
Yodo en un punto.
Las muchedumbres en el alfiler.
El desnudo que amasa la sangre de todos,
y mi amor que no es un caballo ni una quemadura.
Criatura de pecho devorado.
¡Mi amor!

Ya cantan, gritan, gimen: Rostro ¡tu rostro![9]. Rostro.
Las manzanas son unas,
las dalias son idénticas,
la luz tiene un sabor de metal acabado
y el campo de todo un lustro cabrá en la mejilla de la moneda.
Pero tu rostro cubre los cielos del banquete.
¡Ya cantan! ¡gritan! ¡gimen!
¡cubren! ¡trepan! ¡espantan![10].

Es necesario caminar ¡de prisa![11] por las ondas, por las ramas[12],

---

⁶ En *N* sin punto final en estos cuatro últimos versos, pero sobreentendidos por el uso de mayúsculas en el verso siguiente.

⁷ En *N* sin coma final.

⁸ En *S* coma al final de este verso, y también de los cuatro siguientes. Asimismo, coma al terminar el verso «y mi amor que no es un caballo ni una quemadura,».

⁹ En *S* «Rostro, ¡Tu rostro!».

¹⁰ En *S* coma entre los signos de admiración en estos dos versos.

¹¹ En *S* «¡de prisa!».

por las calles deshabitadas de la Edad Media que bajan al río,
por las tiendas de las pieles donde suena un cuerno de vaca herida,
por las escalas ¡sin miedo![13] por las escalas.
Hay un hombre descolorido que se está bañando en el mar[14];
es tan tierno que los reflectores le comieron jugando el corazón.
Y en el Perú viven mil mujeres ¡oh insectos![15] que noche y día
hacen nocturnos y desfiles[16] entrecruzando sus propias venas.

Un diminuto guante corrosivo me detiene. ¡Basta!
En mi pañuelo he sentido el tris
de la primera vena que se rompe.
Cuida tus pies, amor mío[17], ¡tus manos![18]
ya que yo yengo que entregar mi rostro.
¡Mi rostro! mi rostro ¡Ay mi comido rostro![19].

Este fuego casto para mi deseo[20].
Esta confusión por anhelo de equilibrio.
Este inocente dolor de pólvora en mis ojos
aliviará la angustia de otro corazón
devorado por las nebulosas.

No nos salva la gente de las zapaterías[22]
ni los paisajes que se hacen música al encontrar las llaves oxidadas.
Son mentira los aires. Sólo existe
una cunita en el desván
que recuerda todas las cosas.
Y la luna.
Pero no la luna.

---

[12] En *N* sin coma al final del verso. Tampoco en los dos siguientes. Seguimos la ed. *S*.

[13] En *S* coma antes y después de la admiración.

[14] Seguimos la puntuación *S*, también en el verso siguiente.

[15] *S* «¡oh insectos!».

[16] *N* «nocturnos desfiles». Seguimos *S* y autógrafo.

[17] Seguimos la puntuación *S*.

[18] En *S* coma final, al igual que en el siguiente verso.

[19] *S* «mi rostro, ¡mi rostro!, ¡ay, mi comido rostro!».

[20] En *S* coma al final del verso, al igual que en el siguiente.

[21] En *S* coma al final del verso.

[22] En *S* coma al final del verso.

Los insectos[23].
Los insectos solos[24]
crepitantes, mordientes, estremecidos, agrupados,
y la luna
con un guante de humo sentada en la puerta de sus derribos.
¡¡La luna!!

[23] En *S* coma al final del verso.
[24] En *S* coma al final del verso.

VII
Vuelta a la ciudad

Para Antonio Hernández Soriano

«LA BOLSA»

«Debajo de las multiplicaciones
hay una gota de sangre de pato;
debajo de las divisiones
hay una gota de sangre de marinero;
debajo de las sumas, un río de sangre tierna.»

NUEVA YORK

(OFICINA Y DENUNCIA)[1]

A Fernando Vela[2]

Debajo de las multiplicaciones
hay una gota de sangre de pato;[3]
debajo de las divisiones
hay una gota de sangre de marinero;
debajo de las sumas, un río de sangre tierna[4].
Un río que viene cantando
por los dormitorios de los arrabales,
y es plata, cemento o brisa
en el alba mentida de New York[5].
Existen las montañas[6]. Lo sé.
Y los anteojos para la sabiduría.
Lo sé. Pero yo no he venido a ver el cielo.
He venido para ver la turbia sangre,
la sangre que lleva las máquinas a las cataratas
y el espíritu a la lengua de la cobra.
Todos los días se matan en New York[7]
cuatro millones de patos,

---

[1] De este poema no se conserva manuscrito. Fue publicado en 1931 por la *Revista de Occidente* (XXXI, enero, págs. 25-28). Su original lo regaló Miguel Benítez Inglott, su primer poseedor, a José María Millares Sall. Esta versión fue editada en 1938 por Guillermo de Torre en Losada, pasando después a la sección de «Variantes» de Bergamín. Otra versión es la publicada en Norton y en Séneca como texto base, aunque con variantes entre ellas, como señalamos a continuación. Seguimos la edición Norton, aunque contrastada con Séneca y la *Revista de Occidente (RO)*.
[2] Dedicatoria inexistente en *S*, que conserva como título el «New York» de *RO*. Tampoco aparece el paréntesis habido en *N*.
[3] En *S* también aparece este punto y coma, al igual que en el verso «hay una gota de sangre de marinero;».
[4] En *S* punto y coma.
[5] En *N* «New-York», como en la siguiente cita de este nombre.
[6] En *S* coma.
[7] En *N* se incorpora a este verso el siguiente. Seguimos *S* y *RO*.

cinco millones de cerdos,
dos mil palomas para el gusto de los agonizantes[8],
un millón de vacas,
un millón de corderos
y dos millones de gallos[9]
que dejan los cielos hechos añicos[10].

Más vale sollozar afilando la navaja
o asesinar a los perros en las alucinantes cacerías[11],
que resistir en la madrugada
los interminables trenes de leche,
los interminables trenes de sangre[12]
y los trenes de rosas maniatadas
por los comerciantes de perfumes.
Los patos y las palomas
y los cerdos y los corderos
ponen sus gotas de sangre
debajo de las multiplicaciones,
y los terribles alaridos de las vacas estrujadas
llenan de dolor el valle
donde el Hudson se emborracha con aceite[13].

Yo denuncio a toda la gente
que ignora la otra mitad,
la mitad irredimible
que levanta sus montes de cemento
donde laten los corazones
de los animalitos que se olvidan
y donde caeremos todos
en la última fiesta de los taladros.

---

[8] En N mayúscula en el verso siguiente, a pesar de la coma al final de éste. Seguimos S y RO.

[9] En S coma al final del verso. Seguimos N y RO.

[10] En S sin blancas separadoras después de este verso, siguiendo la versión de RO.

[11] En S sin coma al final del verso.

[12] En S coma al final del verso.

[13] En S sin blancas separadoras después de este verso, siguiendo la versión RO.

Os escupo en la cara.
La otra mitad me escucha
devorando, orinando[14], volando[15] en su pureza
como los niños de las porterías
que llevan frágiles palitos
a los huecos donde se oxidan
las antenas de los insectos.
No es el infierno, es la calle.
No es la muerte[16]. Es la tienda de frutas.
Hay un mundo de ríos quebrados y distancias inasibles
en la patita de ese gato quebrada por un automóvil,
y yo oigo el canto de la lombriz
en el corazón de muchas niñas.
Óxido, fermento, tierra estremecida.
Tierra tú mismo que nadas por los números de la oficina.
¿Qué voy a hacer? ¿Ordenar los paisajes?[17]
¿Ordenar los amores que luego son fotografías[18],
que luego son pedazos de madera y bocanadas de sangre?
No, no; yo denuncio[19].
Yo denuncio la conjura
de estas desiertas oficinas
que no radian las agonías[20],
que borran los programas de la selva,
y me ofrezco a ser comido por las vacas estrujadas
cuando sus gritos llenan el valle
donde el Hudson se emborracha con aceite.

---

[14] *S* «cantando». Seguimos *N* y *RO*.

[15] *N* «volando, en su pureza».

[16] En *S* coma.

[17] En *N* «Qué voy a hacer. ¿Ordenar los paisajes?». En *S* «¿Qué voy a hacer, ordenar los paisajes?». Seguimos el texto de *RO*, ante el punto existente también en *N*.

[18] En *N* la interrogación termina aquí, y el verso siguiente empieza con mayúscula, aunque sin interrogación. Seguimos la puntuación *S* y *RO*, si bien en este último texto el verso siguiente se interrumpe después de «madera».

[19] En *N* y *S* coma al final de este verso. Seguimos la versión *RO* por estar más en consonancia con el sentido de la composición.

[20] Sin coma en *N*. Seguimos *S* y *RO*, al igual que en el verso siguiente.

CEMENTERIO JUDÍO[1]

Las alegres fiebres huyeron a las maromas de los barcos
y el judío empujó la verja con el pudor helado del interior de
[las lechugas.
Los niños de Cristo dormían
y el agua era una paloma
y la madera era una garza
y el plomo era un colibrí
y aun las vivas prisiones de fuego
estaban consoladas por el salto de la langosta.

Los niños de Cristo bogaban y los judíos llenaban los muros
con un solo corazón de paloma
por el que todos querían escapar.
Las niñas de Cristo cantaban y las judías miraban la muerte[2]
con un solo ojo de faisán[3],
vidriado por la angustia de un millón de paisajes.

Los médicos ponen en el níquel sus tijeras y guantes de goma
cuando los cadáveres sienten en los pies
la terrible claridad de otra luna enterrada.
Pequeños dolores ilesos se acercan a los hospitales
y los muertos se van quitando un traje de sangre cada día.

Las arquitecturas de escarcha[4],
las liras y gemidos que se escapan de las hojas diminutas

---

[1] De este poema se conserva un manuscrito en la Fundación García Lorca,
fechado en «New York – 1930 – Enero 18 –», con el título de «Sepulcro judío».
No se publicó en vida del autor. Otra versión es la editada en Norton y Séneca,
con las usuales diferencias de puntuación. Seguimos la edición Norton, aunque
contrastada con Séneca y el manuscrito (Ms).
[2] En N después de este verso blancas separadoras, aunque el siguiente no
empieza con mayúscula. Seguimos S y el Ms.
[3] En N ausencia de coma. Seguimos la ed. S.
[4] En N ausencia de coma. Seguimos la ed. S.

en otoño[5], mojando las últimas vertientes,
se apagaban en el negro de los sombreros de copa.

La hierba celeste y sola de la que huye con miedo el rocío
y las blancas entradas de mármol que conducen al aire duro
mostraban su silencio roto por las huellas dormidas de los zapatos.

El judío empujó la verja[5]
pero el judío no era un puerto
y las barcas de nieve se agolparon
por las escalerillas de su corazón[7].
Las barcas de nieve que acechan
un hombre de agua que las ahogue.
Las barcas de los cementerios
que a veces dejan ciegos a los visitantes.

Los niños de Cristo dormían
y el judío ocupó su litera.
Tres mil judíos lloraban en el espanto de las galerías
porque reunían entre todos con esfuerzo media paloma[9],
porque uno tenía la rueda de un reloj
y otro un botín con orugas parlantes
y otro una lluvia nocturna cargada de cadenas
y otro la uña de un ruiseñor que estaba vivo[10]
y porque la media paloma gemía
derramando una sangre que no era la suya.

Las alegres fiebres bailaban por las cúpulas humedecidas
y la luna copiaba en su mármol
nombres viejos y cintas ajadas.
Llegó la gente que come por detrás de las yertas columnas

---

⁵ En *N* ausencia de coma. Seguimos la ed. *S*.
⁶ En *S* punto y coma.
⁷ En *S* dos puntos. Seguimos la puntuación *N* y el *Ms*, aunque sin dejar blancas separadoras *(N)* como en el *Ms*.
⁸ En *S* coma.
⁹ Seguimos la puntuación *S*.
¹⁰ En *S* punto y coma. Seguimos *N* y *Ms*.

y los asnos de blancos dientes
con los especialistas de las articulaciones.
Verdes girasoles temblaban
por los páramos del crepúsculo
y todo el cementerio era una queja
de bocas de cartón y trapo seco.
Ya los niños de Cristo se dormían
cuando el judío, apretando los ojos[11],
se cortó las manos en silencio
al escuchar los primeros gemidos.

---

[11] Seguimos la puntuación S.

CRUCIFIXIÓN[1]

La luna pudo detenerse al fin por la curva[2] blanquísima de los
[caballos.
Un rayo de luz violenta[3] que se escapaba de la herida
proyectó en el cielo el instante de la circuncisión de un niño[4]
[muerto.

La sangre bajaba por el monte y los ángeles la buscaban,
pero los cálices eran de viento y al fin llenaba los zapatos.
Cojos perros fumaban sus pipas y un dolor de cuero caliente[5]
ponía grises los labios redondos de los que vomitaban en las
[esquinas.
Y llegaban largos alaridos por el Sur[6] de la noche seca.
Era que la luna quemaba con sus bujías el falo de los caballos.
Un sastre especialista en púrpura
había encerrado a las tres santas mujeres

---

[1] De este poema se conserva un único manuscrito, fechado en Nueva York,
el 18 de octubre de 1929. Fue entregado por Lorca a Miguel Benítez Inglott, de
ahí que la hoja recordatorio, transcrita por Humphries, indique este nombre
como el de su poseedor en esas fechas. La imposibilidad de localizar su texto en
1940 impidió que apareciese en las ediciones Norton y Séneca. Este autógrafo
se editó en 1950 en *Planas de poesía* (IX, Las Palmas, págs. 20-23) por este
amigo de Lorca. En 1962, Charles Marcilly ofreció una nueva lectura, basándose en varias fotocopias que le hizo llegar el nuevo poseedor del autógrafo, Agustín Millares Sall («Notes pour l'étude de la pensée religieuse de Federico García
Lorca: "Crucifixión"», *Bulletin Hispanique,* LXIV-LXIV bis, págs. 507-525). En
1978 Mario Hernández presentaba otra versión del poema, basada en una foto-
copia del manuscrito facilitada por Silvia Lezcano *(Federico García Lorca. Antología poética,* Madrid, Alce, págs. 95-97 y 148). El mal estado de conservación del
autógrafo y el hecho de que su texto no esté totalmente perfilado por su autor,
hacen que su lectura sea difícil, favoreciendo, a la vez, esta multiplicidad de versiones. Nuestra edición tiene como fuente la reproducción facsimilar del manuscrito *(Ms)* publicada en *Planas de poesía,* regularizando la puntuación apenas
distinguible en el autógrafo.
[2] Desechado en el *Ms,* «falo».
[3] Variante desechada en el *Ms,* «agudo».
[4] Sustituye en el *Ms* a «hijo».
[5] A continuación desechado en el *Ms* (después de una expresión ininteligi-
ble) «el tallo del vómito y destruía la playa de la mirra».
[6] Parece ser mayúscula en el *Ms.*

y les enseñaba una calavera por los vidrios[7] de la ventana.
Los tres niños[8] en el arrabal rodeaban a un camello blanco
que lloraba asustado[9] porque al alba
tenía que pasar sin remedio por el ojo de una aguja.
¡Oh cruz! ¡Oh clavos! ¡Oh espina!
¡Oh espina clavada en el hueso hasta que se oxiden los planetas!
Como nadie volvía la cabeza, el cielo pudo desnudarse.
Entonces se oyó la gran[10] voz y los fariseos dijeron:
Esa maldita vaca tiene las tetas llenas de leche.

La muchedumbre cerraba las puertas
y la lluvia bajaba por las calles decidida a mojar el corazón
mientras la tarde se puso turbia de latidos y leñadores
y la oscura ciudad agonizaba bajo el martillo de los carpinteros[11].
Esa maldita vaca
tiene las tetas llenas de perdigones,
dijeron los fariseos azules[12].
Pero la sangre mojó sus pies[13] y los espíritus inmundos
estrellaban ampollas de laguna sobre las paredes del templo.
Se supo el momento preciso de la salvación de nuestra vida
porque la luna lavó con agua[14]
las[15]quemaduras de los caballos
y no la niña viva que callaron en la arena[16].

---

[7] En el *Ms* desechado «cristales».

[8] En el *Ms* esta palabra aparece tachada con dos rasgos oblicuos, lo que ha llevado a Benítez Inglott y a Marcilly a suprimirla del texto, leyendo entonces «Las tres». Por el sentido del verso, y por no ser ésta la forma habitual de tachar de García Lorca, conservamos el vocablo.

[9] Con esta palabra sucede lo mismo que lo señalado en la nota anterior. Por idénticas razones mantenemos también el vocablo.

[10] Añadido por Lorca en el *Ms*.

[11] Desechado en el *Ms* «zapateros».

[12] En el *Ms* «los fariseos con los paladares azules». De esta expresión ha sido tachado «con los paladares».

[13] Desechado a continuación en el *Ms* «y una hoguera de palmeras / puso en sus ojos maldicientes la fijeza de las aceitunas».

[14] Tachado a continuación en el *Ms* «helada».

[15] Tachado a continuación en el *Ms* «horribles».

[16] Marcilly, junto a Eutimio Martín *(Poeta en Nueva York, op. cit.,* pág. 224) han interpretado este verso como un resto de una versión inicial, suprimiéndolo por tanto del texto definitivo.

Entonces salieron los fríos cantando sus canciones
y las ranas encendieron sus lumbres en[17] la doble orilla del río.
Esa maldita vaca, maldita, maldita, maldita,
no nos dejará dormir[18], dijeron los fariseos,
y se alejaron a sus casas por el tumulto de la calle
dando empujones a los borrachos y escupiendo la sal de los sa-
                                                    [crificios
mientras la sangre los seguía con un balido de cordero.

Fue entonces
y la tierra despertó arrojando[19] temblorosos ríos de polilla.

---

[17] Tachado en el *Ms* «por».
[18] Tachado a continuación en el *Ms* «en toda la noche».
[19] Tachado en el *Ms* «lanzando».

VIII
Dos odas

A mi editor, Armando Guibert

«EL PAPA CON PLUMAS»

«Pero el hombre vestido de blanco
ignora el misterio de la espiga,
ignora el gemido de la parturienta,
ignora que Cristo puede dar agua todavía,
ignora que la moneda quema el beso de prodigio
y da la sangre del cordero al pico idiota del faisán.»

GRITO HACIA ROMA[1]

(DESDE LA TORRE DEL CHRYSLER[2] BUILDING)

Manzanas levemente heridas
por finos espadines de plata[3],
nubes rasgadas por una mano de coral
que lleva en el dorso una almendra de fuego,
peces de arsénico como tiburones,
tiburones como gotas de llanto para cegar una multitud,
rosas que hieren
y agujas instaladas en los caños de la sangre,
mundos enemigos y amores cubiertos de gusanos[4],
caerán sobre ti. Caerán sobre la gran cúpula
que unta de aceite las lenguas militares[5],
donde un hombre se orina en una deslumbrante paloma
y escupe carbón machacado
rodeado de miles de campanillas.

Porque ya no hay quien reparta el pan y el vino[6],
ni quien cultive hierbas en la boca del muerto,
ni quien abra los linos del reposo,
ni quien llore por las heridas de los elefantes.
No hay más que un millón de herreros

---

[1] De este poema se conserva un autógrafo en la Fundación García Lorca, probablemente su primera versión, denominada «Roma». Al dorso del manuscrito aparece otro título «Oda de la —Injusticia—», desechado también posteriormente. Fue publicado en la revista *España peregrina* (núm. 1, febrero de 1940) con el beneplácito de Bergamín, que lo presentaba como primicia de su edición de *Poeta en Nueva York*. Las diferencias entre Norton y Séneca son fundamentalmente de puntuación. Seguimos la edición Norton, aunque contrastada con el texto de Séneca y el manuscrito *(Ms)*.

[2] En *N* y *S* «Crysler», siguiendo la grafía del autor.

[3] En *N* punto y coma, al igual que en los versos «que lleva en el dorso una almendra de fuego,» y «agujas instaladas en los caños de la sangre,». Seguimos a *S* y el *Ms*.

[4] En *S* ausencia de esta coma.

[5] En *N* punto y coma, en *S* sin puntuación. Seguimos el *Ms*.

[6] En *S* ausencia de coma.

forjando cadenas para los niños que han de venir.
No hay más que un millón de carpinteros
que hacen ataúdes sin cruz.
No hay más que un gentío de lamentos
que se abren las ropas en espera de la bala[7].
El hombre que desprecia la paloma debía hablar,
debía gritar desnudo entre las columnas[8]
y ponerse una inyección para adquirir la lepra
y llorar un llanto tan terrible
que disolviera sus anillos y sus teléfonos de diamante.
Pero el hombre vestido de blanco
ignora el misterio de la espiga,
ignora el gemido de la parturienta[9],
ignora que Cristo puede dar agua todavía,
ignora que la moneda quema el beso de prodigio
y da la sangre del cordero al pico idiota del faisán.

Los maestros enseñan a los niños
una luz maravillosa que viene del monte;
pero lo que llega es una reunión de cloacas
donde gritan las oscuras ninfas del cólera.
Los maestros señalan con devoción las enormes cúpulas sahu-
pero debajo de las estatuas no hay amor[11],   [madas,[10]
no hay amor bajo los ojos de cristal definitivo[12].
El amor está en las carnes desgarradas por la sed,
en la choza diminuta que lucha con la inundación[13].
El amor está en los fosos donde luchan las sierpes del hambre,
en el triste mar que mece los cadáveres de las gaviotas
y en el oscurísimo beso punzante debajo de las almohadas.
Pero el viejo de las manos traslúcidas

---

[7] En *N* «balas». Seguimos a *S* y el *Ms*.
[8] En *S* coma al final del verso.
[9] Seguimos la puntuación *S* y del *Ms*.
[10] En *S* punto y coma.
[11] En *N* punto al final del verso. Seguimos la puntuación *S* y del *Ms*.
[12] En *N* punto y coma. Seguimos la puntuación *S* y *Ms*.
[13] En *N* y *S* punto y coma. Seguimos la puntuación del *Ms*, por la forma general de puntuar en el poemario.

216

dirá: Amor, amor, amor,
aclamado por millones de moribundos[14].
Dirá: amor, amor, amor,
entre el tisú estremecido de ternura[15];
dirá: paz, paz, paz,
entre el tirite de cuchillos y melones de dinamita[16].
Dirá: amor, amor, amor,
hasta que se le pongan de plata los labios.

Mientras tanto, mientras tanto ¡ay! mientras tanto,
los negros que sacan las escupideras,
los muchachos que tiemblan bajo el terror pálido de los directores,
las mujeres ahogadas en aceites minerales,
la muchedumbre de martillo, de violín o de nube,
ha de gritar aunque le estrellen los sesos en el muro,
ha de gritar frente a las cúpulas,
ha de gritar loca de fuego,
ha de gritar loca de nieve,
ha de gritar con la cabeza llena de excremento,
ha de gritar como todas las noches juntas,
ha de gritar con voz tan desgarrada
hasta que las ciudades tiemblen como niñas
y rompan las prisiones del aceite y la música[17].
Porque queremos el pan nuestro de cada día,
flor de aliso y perenne ternura desgranada,
porque queremos que se cumpla la voluntad de la Tierra
que da sus frutos para todos.

---

[14] En *S* punto y coma.
[15] En *N* sin puntuación. Seguimos a *S* y el *Ms*.
[16] En *S* punto y coma.
[17] En *S* coma. Seguimos la puntuación *N* y el *Ms*.

«FOTOMONTAJE DE LA CABEZA DE WALT WHITMAN
CON LA BARBA LLENA DE MARIPOSAS»

«Ni un solo momento, viejo hermoso Walt Whitman,
he dejado de ver tu barba llena de mariposas,
ni tus hombros de pana gastados por la luna,
ni tus muslos de Apolo virginal,
ni tu voz como una columna de ceniza;
anciano hermoso como la niebla.»

ODA A WALT WHITMAN[1]

Por el East River y el Bronx
los muchachos cantaban enseñaban sus cinturas[2]
con la rueda, el aceite, el cuero y el martillo.
Noventa mil mineros sacaban la plata de las rocas
y los niños dibujaban escaleras y perspectivas.

Pero ninguno se dormía,
ninguno quería ser río[3],
ninguno amaba las hojas grandes,
ninguno la lengua azul de la playa.

Por el East River y el Queensborough
los muchachos luchaban con la industria,
y los judíos vendían al fauno del río
la rosa de la circuncisión[4],
y el cielo desembocaba por los puentes y los tejados
manadas de bisontes empujadas por el viento.

Por ninguno se detenía,
ninguno quería ser nube,
ninguno buscaba los helechos
ni la rueda amarilla del tamboril.

---

[1] De este poema se conserva un manuscrito, con fecha del 15 de junio de 1930, publicado en 1975 por su poseedor, Rafael Martínez Nadal *(Federico García Lorca. Autógrafos,* Oxford, The Dolphin Book, págs. 204-217). En vida del autor se editó otra versión (México, Alcancía, 1933) con algunas variantes respecto al autógrafo. Parte de esta publicación fue reproducida por Gerardo Diego en su *Antología* de 1934 (págs. 441-443). Martínez Nadal en 1939 transcribió algunos versos del manuscrito en su poder, *Poems. Federico García Lorca* (Londres, The Dolphin Book, págs. 76-81). Las diferencias entre Norton y Séneca no son muy significativas, al igual que con respecto a la edición de México de 1933. Seguimos la edición Norton, aunque contrastada con las de Séneca y Alcancía *(A).*

[2] En *S* coma al final del verso, mientras en *A* aparece un punto..

[3] *N* y *S* «el río». Seguimos la ed. *A.*

[4] En *S* sin coma.

Cuando la luna salga
las poleas rodarán para turbar el cielo[5];
un límite de agujas cercará la memoria
y los ataúdes se llevarán a los que no trabajan.

Nueva York de cieno,
Nueva York de alambre[6] y de muerte[7].
¿Qué ángel llevas oculto en la mejilla?
¿Qué voz perfecta dirá las verdades del trigo?
¿Quién el sueño terrible de tus anémonas manchadas?

Ni un solo momento, viejo hermoso Walt Whitman[8],
he dejado de ver tu barba llena de mariposas,
ni tus hombros de pana gastados por la luna[9],
ni tus muslos de Apolo virginal,
ni tu voz como una columna de ceniza;
anciano hermoso como la niebla[10],
que gemías igual que un pájaro
con el sexo atravesado por una aguja,
enemigo del sátiro,
enemigo de la vid[11],
y amante de los cuerpos bajo la burla tela[12].

Ni un solo momento, hermosura viril
que en montes de carbón, anuncios y ferrocarriles,
soñabas ser un río y dormir como un río
con aquel camarada que pondría en tu pecho
un pequeño dolor de ignorante leopardo.

---

[5] *N* «al cielo». Seguimos *S* y *A*.
[6] *N* y *S* «alambres». Seguimos la ed. *A*.
[7] En *N* sin puntuación. En *A* dos puntos. Seguimos la puntuación *S*.
[8] En *N* sin puntuación final. Seguimos *S* y *A*.
[9] En *N* sin puntuación. Seguimos *S* y *A*.
[10] En *N* y *S* sin puntuación. Seguimos la ed. *A*.
[11] En *S* sin puntuación. Seguimos a *N* y *A*.
[12] En *S* no aparecen blancas separadoras. Seguimos a *N* y *A*.

Ni un solo momento, Adán de sangre, macho[13],
hombre solo en el mar, viejo hermoso Walt Whitman,
porque por las azoteas,
agrupados en los bares,
saliendo en racimos de las alcantarillas,
temblando entre las piernas de los chauffeurs
o girando en las plataformas del ajenjo,
los maricas, Walt Whitman, te señalan[14].

¡También ése! ¡También![15] Y se despeñan
sobre tu barba luminosa y casta[16],
rubios del norte, negros de la arena,
muchedumbre de gritos y ademanes
como los gatos y como las serpientes[17],
los maricas, Wat Whitman, los maricas[18],
turbios de lágrimas, carne para fusta,
bota o mordisco de los domadores.

¡También ése! ¡También! Dedos teñidos
apuntan a la orilla de tu sueño
cuando el amigo come tu manzana
con un leve sabor de gasolina
y el sol canta por los ombligos
de los muchachos que juegan bajo los puentes.

Pero tú no buscabas los ojos arañados[19],
ni el pantano oscurísimo donde sumergen a los niños,
ni la saliva helada,
ni las curvas heridas como panza de sapo
que llevan los maricas en coches y en terrazas
mientras la luna los azota por las esquinas del terror.

---

[13] N y S «Macho». Seguimos la edición A.
[14] S «te soñaban». Seguimos a N y A.
[15] N «¡también!». Seguimos a S y A.
[16] En N sin puntuación. Seguimos a S y A.
[17] En N sin puntuación. Seguimos a S y A.
[18] En S sin coma final. Seguimos a N y A.
[19] En N sin puntuación, al igual que en los dos versos siguientes. Seguimos la ed. S.

Tú buscabas un desnudo que fuera como un río,
toro[20] y sueño que junte la rueda con el alga,
padre de tu agonía, camelia de tu muerte,
y gimiera en las llamas de tu ecuador oculto.

Porque es justo que el hombre no busque su deleite
en la selva de sangre de la mañana próxima.
El cielo tiene playas donde evitar la vida
y hay cuerpos que no deben repetirse en la aurora.

Agonía, agonía, sueño, fermento y sueño.
Este es el mundo, amigo, agonía, agonía.
Los muertos se descomponen bajo el reloj de las ciudades[21].
La guerra pasa llorando con un millón de ratas grises,
los ricos dan a sus queridas
pequeños moribundos iluminados[22],
y la vida no es noble, ni buena, ni sagrada.

Puede el hombre, si quiere, conducir su deseo
por vena de coral o celeste desnudo[23].
Mañana los amores serán rocas y el Tiempo
una brisa que viene dormida por las ramas.

Por eso no levanto mi voz, viejo Walt Whitman,
contra el niño que escribe
nombre de niña en su almohada[24],
ni contra el muchacho que se viste de novia
en la oscuridad del ropero[25],
ni contra los solitarios de los casinos
que beben con asco el agua de la prostitución[26],
ni contra los hombres de mirada verde

---

[20] En N con mayúscula. Seguimos la ed. S.
[21] En S coma. Seguimos la puntuación N y A.
[22] En N sin puntuación. Seguimos a S y A.
[23] En N punto y coma. Seguimos la puntuación S.
[24] En N dos puntos. Seguimos la puntuación S y A.
[25] En N punto y coma. Seguimos a S y A.
[26] En N punto y coma. Seguimos a S y A.

que aman al hombre y queman sus labios en silencio.
Pero sí contra vosotros, maricas de las ciudades[27],
de carne tumefacta y pensamiento inmundo.
Madres de lodo. Arpías. Enemigos sin sueño
del Amor[28] que reparte coronas de alegría.

Contra vosotros siempre, que dais a los muchachos
gotas de sucia muerte con amargo veneno.
Contra vosotros siempre,
Faeries[29] de Norteamérica,
Pájaros de La Habana,
Jotos de Méjico.
Sarasas de Cádiz,
Apios de Sevilla,
Cancos de Madrid,
Floras de Alicante,
Adelaidas de Portugal.

¡Maricas de todo el mundo, asesinos de palomas!
Esclavos de la mujer[30]. Perras de sus tocadores[31].
Abiertos en las plazas con fiebre de abanico
o emboscados en yertos paisajes de cicuta.

¡No haya cuartel! La muerte
mana de vuestros ojos
y agrupa flores grises en la orilla del cieno.
¡No haya cuartel! ¡¡Alerta!![32].
Que los confundidos, los puros,
los clásicos, los señalados, los suplicantes[33]
os cierren las puertas de la bacanal.

---

[27] En *N* sin puntuación final. Seguimos a *S*.

[28] En *N* sin mayúscula. Seguimos la grafía de *S* y *A*.

[29] En *N* estas diferentes denominaciones entre comillas. Seguimos la ed. *S*.

[30] En *S* coma. Seguimos la puntuación *N* y *A*.

[31] En *S* coma. Seguimos la puntuación *N* y *A*.

[32] En *N* y *S* admiración simple. Seguimos la puntuación *A* por el sentido del verso.

[33] En *N* coma final. Seguimos la puntuación *S* y *A*.

Y tú, bello Walt Whitman, duerme a orillas del Hudson
con la barba hacia el polo y las manos abiertas.
Arcilla blanda o nieve[34], tu lengua está llamando
camaradas que velen tu gacela sin cuerpo[35].

Duerme: no queda nada.
Una danza de muros agita las praderas
y América se anega de máquinas y llanto.
Quiero que el aire fuerte de la noche más honda
quite flores y letras del arco donde duermes[36],
y un niño negro anuncie a los blancos del oro
la llegada del reino de la espiga.

---

[34] En *N* sin puntuación. Seguimos las eds. *S* y *A*.
[35] En *S* blancas separadoras a continuación. Seguimos a *N* y *A*.
[36] En *S* sin puntuación. Seguimos las eds. *N* y *A*.

IX
Huida de Nueva York
(Dos valses hacia la civilización)

«EL MAR»

«¡Ay, ay, ay, ay!
Toma este vals con la boca cerrada.

Este vals, este vals, este vals,
de sí, de muerte y de coñac
que moja su cola en el mar.
(. . . . .)
¡Ay, ay, ay, ay!
Toma este vals del "Te quiero siempre".»

PEQUEÑO VALS VIENÉS[1]

En Viena hay diez muchachas[2],
un hombro donde solloza la muerte
y un bosque de palomas disecadas[3].
Hay un fragmento de la mañana
en el museo de la escarcha.
Hay un salón con mil ventanas[4].

¡Ay, ay, ay, ay!
Toma este vals con la boca cerrada.

Este vals, este vals, este vals,
de sí, de muerte y de coñac
que moja su cola en el mar.

Te quiero, te quiero, te quiero[5],
con la butaca y el libro muerto,
por el melancólico pasillo,
en el oscuro desván del lirio,

---

[1] Este poema se publicó en vida del autor bajo el título de «Vals vienés» en la revista *1616 English and Spanish Poetry,* que Manuel Altolaguirre editaba en Londres (núm. 1, 1934). Una copia defectuosa de este texto se publicó en 1938 en México, *Taller* (núm. 1, diciembre) indicando que sus versos «fueron copiados por Genaro Estrada, en una de sus pequeñas libretas negras, y traídos a Méjico como inéditos». Esta libreta negra, propiedad de Miguel Pizarro, se encuentra actualmente en los archivos de la Fundación García Lorca. Según dicha nota, el poema se escribió el 13 de febrero de 1930. El texto de *Taller* pasó a la sección de «Variantes» de Bergamín. Otra versión del poema es la publicada por Norton y Séneca, sin que existan diferencias sustanciales entre ellas, mientras sí las hay con el texto de *1616.* Seguimos la edición Norton, aunque contrastada con lo publicado por Séneca y *1616.*

[2] En *N* el verso siguiente empieza con mayúscula, a pesar de esta coma final.

[3] En *N* a continuación blancas separadoras. Seguimos la ed. *S* y *1616.*

[4] En *S* no existen blancas separadoras a continuación. Seguimos la distribución *N,* por ser la más adecuada al sentido del estribillo.

[5] En *N* no hay coma al final del verso, al igual que en los tres versos siguientes. Seguimos la puntuación *S* y *1616.*

en nuestra cama de la luna .
y en la danza que sueña la tortuga.

¡Ay, ay, ay, ay!
Toma este vals de quebrada cintura.

En Viena hay cuatro espejos
donde juegan tu boca y los ecos.
Hay una muerte para piano
que pinta de azul a los muchachos[6].
Hay mendigos por los tejados.
Hay frescas guirnaldas de llanto[7].

¡Ay, ay, ay, ay!
Toma este vals que se muere en mis brazos.

Porque te quiero, te quiero, amor mío[8],
en el desván donde juegan los niños,
soñando viejas luces de Hungría[9]
por los rumores de la tarde tibia,
viendo ovejas y lirios de nieve
por el silencio oscuro de tu frente.

¡Ay, ay, ay, ay!
Toma este vals del «Te quiero siempre».

En Viena bailaré contigo
con un disfraz que tenga
cabeza de río.
¡Mira qué orillas tengo de jacintos!
Dejaré mi boca entre tus piernas[10],

---

[6] En _N_ sin punto al final del verso, al igual que en verso siguiente. Seguimos la puntuación _S_ y _1616_.

[7] En _S_ sin blancas separadoras a contianuación.

[8] En _N_ sin coma final.

[9] En _N_ este verso empieza con mayúscula, al igual que el verso «viendo ovejas y lirios de nieve». Seguimos la puntuación _S_.

[10] En _N_ sin coma al final, al igual que en el verso siguiente. Seguimos la puntuación _S_.

mi alma en fotografías y azucenas,
y en las ondas oscuras de tu andar
quiero, amor mío[11], amor mío, dejar,
violín y sepulcro, las cintas del vals.

---

[11] En *N* falta esta coma, necesaria por el sentido de la frase.

VALS EN LAS RAMAS[1]

Cayó una hoja[2].
Y dos[3].
Y tres.
Por la luna nadaba un pez.
El agua duerme una hora
y el mar blanco duerme cien.
La dama
estaba muerta en la rama.
La monja
cantaba dentro de la toronja.
La niña
iba por el pino a la piña.
Y el pino
buscaba la plumilla del trino.
Pero el ruiseñor
lloraba sus heridas alrededor.
Y yo también
porque cayó una hoja
y dos
y tres.

---

[1] De este poema se conserva un autógrafo, fechado el 21 de agosto de 1931 en La Huerta de San Vicente, como parte del proyectado libro *Poemas para los muertos*. Su texto apenas varía del publicado en 1932 por la revista *Héroe* (núm. 1, págs. 7-8) a excepción de la dedicatoria «Homenaje a Vicente Aleixandre / por su poema "El Vals"» que se encuentra en esta publicación. A ella se refiere Lorca en una de las hojas recordatorio transcritas por Humphries. Su texto fue recogido por Guillermo de Torre en 1938, pasando después a la edición Séneca, aunque con ciertas variantes. Otra versión parece ser la transcrita por Humphries, que ante la ausencia del poema en el material enviado por Bergamín, y sin conocer lo editado por Losada en el tomo VI, buscó una fuente distinta. Posiblemente la antología de Lorca editada por Altolaguirre en La Habana en 1939, *Poemas escogidos de Federico García Lorca* (págs. 32-33) con la que presenta escasas variantes. [Según Mario Hernández *(F. G. L. Antología poética*, Madrid, Alce, 1978, págs. 148-149) Altolaguirre pudo haberle enviado a Humphries desde Cuba este poema, junto a «Paisaje con dos tumbas y un perro asirio».] Seguimos lo editado por Norton por considerarlo una versión más avanzada del poema, aunque contrastado con lo publicado en Séneca y *Héroe (H)*.

[2] Ausencia de la dedicatoria de *Héroe* tanto en *S* como en *N*.

[3] En *S* ausencia de puntuación en este verso y en el anterior.

230

Y una cabeza de cristal
y un violín de papel[4].
Y la nieve podría con el mundo,
si la nieve durmiera un mes[5],
y las ramas luchaban[6] con el mundo,
una a una,
dos a dos
y tres a tres.
¡Oh[7] duro marfil de carnes invisibles!
¡Oh golfo sin hormigas del amanecer![8].
Llegará un torso de sombra
coronado de laurel.
Será el cielo para el viento
duro como una pared
y las ramas desgajadas
se irán bailando con él.
Una a una
alrededor de la luna,
dos a dos
alrededor del sol[9],
y tres a tres
para que los marfiles se duerman bien.

---

[4] En *N* y *S* sin punto al final del verso. Seguimos la puntuación del autógrafo de 1931, al igual que en los tres versos siguientes.

[5] Este verso y el siguiente falta en *S*, apareciendo ambos en el resto de las versiones del poema.

[6] *H* «lucharan».

[7] *N* y *S* coma después de la exclamación, tanto en este verso como en el siguiente.

[8] En las ediciones *S* y *H* aparecen a continuación cuatro versos, no existentes en *N*, aunque tampoco coincidentes entre sí. La versión *S* parece más avanzada que la de *H*. A continuación transcribimos sus versos en columnas paralelas de forma que se puedan apreciar sus variantes.

HÉROE	SÉNECA
«Con el muy de las ramas,	«Con el numen de las ramas,
con el ay de las damas,	con el ay de las damas,
con el croo de las ranas	con el croo de las ranas, ·
y el gloo amarillo de la miel»	y el geo amarillo de la miel.»

[9] En *N* esta palabra aparece con mayúscula, lo que demuestra la intervención directa de Lorca en el poema. Seguimos la grafía dominante en el resto de las versiones.

«PAISAJE DE LA HABANA»

«¡Oh Cuba! ¡Oh ritmo de semillas secas!
(. . . . .)
¡Oh cintura caliente y gota de madera!
(. . . . .)
¡Oh bovino frescor de cañavera!
¡Oh Cuba! ¡Oh curva de suspiro y barro!»

X
El poeta llega a La Habana

A don Fernando Ortiz.

SON DE NEGROS EN CUBA[1]

Cuando llegue la luna llena iré a Santiago de Cuba[2],
iré a Santiago[3],
en un coche de agua negra[4]
iré a Santiago[5].
Cantarán los techos de palmera[6]
iré a Santiago.
Cuando la palma quiere ser cigüeña[7],
iré a Santiago[8]
y cuando quiere ser medusa el plátano[9],
iré a Santiago.
Iré a Santiago
con la rubia cabeza de Fonseca.
Iré a Santiago.

---

[1] De este poema se conservan tres autógrafos. El primero, probablemente su versión original, fechado en abril de 1930, fue publicado en *Musicalia* durante la estancia de Lorca en Cuba (La Habana, núm. 11, abril-mayo de 1930, págs. 43 44). Aparece bajo los títulos de «Son», «Son de Cuba» y «Son de Santia [go de Cuba]». Fue editado por Juan Marinello en 1968 («García Lorca en Cuba. El poeta llegó a Santiago», *Bohemia*, núm. 22, 31 de mayo, pág. 25). Otro autógrafo es el que aparece copiado por el autor en el texto de la conferencia-recital sobre *Poeta,* existente en la Fundación García Lorca. Y por último, el escrito en una hoja suelta (conservada en esta Fundación) donde faltan los cinco versos iniciales, que parece ser una puesta a limpio del anterior. También fue publicada esta composición en vida del poeta. La primera vez, en 1932, en *Informaciones* (17 de marzo) como parte de la reseña de la conferencia-recital sobre el poemario, y la segunda, en la *Antología de poesía negra hispanoamericana* (Emilio Ballagas, Madrid, Aguilar, 1935, págs. 83-84). Del texto incluido en la conferencia-recital deriva el publicado por Norton y Séneca. Las diferencias entre estas dos ediciones son casi exclusivamente de puntuación. Seguimos la edición Norton, aunque contrastada con *S* y el manuscrito de la conferencia-recital *(Ms)*.

[2] En *N* sin coma final. Seguimos la puntuación *S*.

[3] En *N* sin puntuación. Seguimos *S* y *Ms*.

[4] En *S* punto al final de este verso.

[5] En *N* sin puntuación. Seguimos *S* y *Ms*.

[6] En *S* punto. Seguimos la puntuación de *N* y *Ms*.

[7] En *N* ausencia de puntuación. Seguimos la ed. *S*.

[8] En *S* punto. Seguimos la puntuación *N* y *Ms*.

[9] En *N* sin puntuación. Seguimos la ed. *S*.

Y con el rosa[10] de Romeo y Julieta
iré a Santiago.
Mar de papel y plata de monedas[11].
Iré a Santiago.
¡Oh Cuba! ¡Oh ritmo de semillas secas!
Iré a Santiago.
¡Oh cintura caliente y gota de madera!
Iré a Santiago.
Arpa de troncos vivos. Caimán. Flor de tabaco.
Iré a Santiago.
Siempre he dicho que yo iría a Santiago
en un coche de agua negra.
Iré a Santiago.
Brisa y alcohol en las ruedas[12],
iré a Santiago.
Mi coral en la tiniebla[13],
iré a Santiago.
El mar ahogado en la arena,
iré a Santiago[14].
Calor blanco, fruta muerta[15],
iré a Santiago.
¡Oh bovino frescor de cañavera![16].
¡Oh Cuba! ¡Oh curva de suspiro[17] y barro!
Iré a Santiago.

---

[10] En *S* «la rosa». Seguimos a *N* y *Ms*.

[11] Este verso y el siguiente faltan en *S*. Seguimos a *N* y *Ms*. En *N* aparece «moneda». Por el sentido del verso seguimos el *Ms*.

[12] En *N* sin puntuación. Seguimos la ed. *S*.

[13] En *N* sin puntuación. Seguimos la ed. *S*, al igual que en los versos «El mar ahogado en la arena,» y «Calor blanco, fruta muerta,».

[14] En *N* sin puntuación. Seguimos a *S* y *Ms*.

[15] En *N* se sobreentiende un punto al final de este verso, por comenzar el siguiente con mayúscula. Seguimos a *S* y *Ms*, por continuar el mismo ritmo que en versos anteriores.

[16] En *N* y *S* «cañaveras». Seguimos el *Ms*.

[17] En *N* «curba de suspiros». Seguimos a *S* y *Ms*.

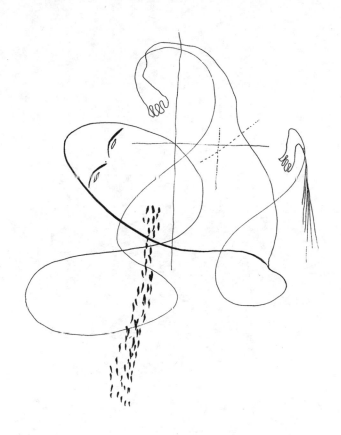

POETA EN NUEVA YORK
APÉNDICE[1]

---

[1] Este apartado no pretende ser una paráfrasis exhaustiva de este poemario. Sólo trazamos las líneas fundamentales de cada sección y de sus respectivas creaciones, de modo que puedan facilitar el acercamiento a esta obra especialmente compleja.

SECCIÓN I

«POEMAS DE LA SOLEDAD
EN COLUMBIA UNIVERSITY»

Los poemas de este apartado son de los más intimistas del conjunto. El protagonista manifiesta su amarga situación de hoy, comparándola con los felices años de su primera juventud («1910 (Intermedio)») a la vez que señala las causas de su dolor actual (la traición amorosa expresada en «Tu infancia en Menton») y lo objetiva en la macabra danza de «Fábula y rueda de los tres amigos». Esta situación anímica aparece sintetizada en el epígrafe que precede la sección, los versos de Cernuda «Furia color de amor / amor color de olvido», pertenecientes al poema «La canción del oeste» de su obra de 1929, *Un río, un amor.* Estos versos relacionan el olvido con la furia amorosa del protagonista poético. Como dice Cernuda, «Una hoguera transforma en ceniza recuerdos», mientras «Lejos canta el oeste, / Aquel oeste que las manos antaño / Creyeron apresar como el aire a la luna; / Mas la luna es madera, las manos se liquidan / Gota a gota, idénticas a lágrimas». El significado de esta sección marca las directrices fundamentales del libro, cuyo amargo contenido no depende esencialmente de la estancia del poeta en la gran ciudad, sino del conflicto amoroso que se debate en sus páginas. De ahí, que su primer poema sea «Vuelta de paseo» ya que lejos de expresar la angustia del poeta recién llegado a la metrópolis (como podría desprenderse de la «estructura externa» de la obra) sintetiza el estado anímico del protagonista, «asesinado por el cielo». Su sentimiento actual contrasta con el vivido anteriormente, con «el oeste» citado por Cernuda en sus versos.

«VUELTA DE PASEO»

Este poema sirve de pórtico al libro por recoger el estado de ánimo del protagonista poético, que se se encuentra «Asesinado por el cielo».

241

Escrito fuera de Nueva York, en Bushnellsville, donde el poeta fue a pasar sus vacaciones con Ángel del Río, describe la situación del protagonista que siente afín con todo lo mutilado de la naturaleza. Con todo lo que, como él, tiene cansancio de vivir, «Cansancio sordomudo» «Tropezando con mi rostro distinto de cada día». Su cronología real (6 de septiembre) no coincide con el lugar que ocupa en el poemario, donde aparece en primer puesto. Probablemente el autor le otorgó esta localización por describir de modo esquemático el sentir del protagonista, y porque su título se podía prestar a una interpretación más unívoca, de acuerdo con la estructura externa de la obra. El poeta que volvía «de paseo» por la ciudad neoyorquina (ejercicio que practicaba a menudo, según Ángel del Río). Sin embargo, no es este su auténtico contenido, ya que el dolor del protagonista no está expresado en este entorno, sino en las montañas de Castkills, donde también fueron escritos «Nocturno del hueco» y «Ruina». En «Vuelta de paseo» el poeta sintetiza igualmente las dos tendencias que se debaten en la obra, expresadas por las dos voces poéticas antes citadas, la «angustiada» y la voz «libertada». Se ve a sí mismo «entre las formas que van hacia la sierpe» (es decir, hacia el instinto amoroso de su sentimiento, cuya no realización aparece en la voz angustiada) y entre «las formas que buscan el cristal» (aquellas que buscan la salida de esa situación, contenida en su «voz libertada»). Por reunir estas características, el autor le concedió esta situación preferente, que marca las directrices fundamentales del libro.

«1910 (INTERMEDIO)»

En esta composición el protagonista compara su mundo interior actual (que ha visto «enterrar a los muertos» y al que «llora por la madrugada») con los momentos felices de su vida en el entorno granadino, en 1910, cuando el poeta contaba doce años, «Allí mis pequeños ojos». Sin embargo hoy, después que «He visto que las cosas / cuando buscan su curso encuentran su vacío. / Hay un dolor de huecos por el aire sin gente / y en mis ojos criaturas vestidas ¡sin desnudo!». Este poema señala claramente que la causa del dolor del protagonista no se debe a una situación actual, sino a un hecho pasado, como indica el verbo «He visto». También aparece en esta composición el tema de «lo hueco», de enorme importancia de este poemario, que alcanza a las criaturas que viven en este universo y también al propio poeta (como sucede en el poema «Nocturno del hueco»). Lo más auténtico del hombre ha desaparecido, «¡sin desnudo!», y sólo queda lo engañoso de su vestimenta. Esta imagen, existente ya en la poesía barroca —

Quevedo— pasará al contexto de influencia superrealista, encontrándose en casi todas las obras españolas de 1927-29 contagiadas de este influjo.

«TU INFANCIA EN MENTON»

El significado de esta composición se aclara por el verso de Jorge Guillén que la precede, perteneciente al poema «Los jardines» de la sección 3 de *Cántico*, «El pájaro en la mano»:

Tiempo en profundidad: está en jardines.
Mira cómo se posa. Ya se ahonda.
Ya es tuyo su interior. ¡Qué transparencia
De muchas tardes, para siempre juntas!
Sí, tu niñez: ya fábula de fuentes.

En esta composición, Guillén habla de poder recuperar el tiempo «en profundidad», «ya es tuyo su interior», «De muchas tardes, para siempre juntas». García Lorca va a intentar algo semejante, recuperar el «alma tibia» de la persona amada, «que no te entiende» debido a los hechos sucedidos. El poeta se siente traicionado, porque ante su amor —«Norma de amor te di, hombre de Apolo»— se ha respondido con engaño: «pero, pasto de ruina, te afilabas / para los breves sueños indecisos». Sin embargo, desea buscar ese amor, «Niñez del mar», y trasladarlo al tiempo donde únicamente son posibles las fábulas. Pero la infancia ya ha pasado, «El tren y la mujer que llena el cielo» y «Ni tú, ni yo, ni el aire, ni las hojas». Sólo queda la niñez, fuente de fábulas.

Este poema guarda una estrecha relación con «1910 (Intermedio)». La semejanza entre este título y el originario de «Tu infancia en Menton» «(Ribera 1910)» así lo indica. El tema de la infancia, como poseedora de un tiempo inalterable de felicidad, se extiende a todo el poemario, reapareciendo en varias de sus composiciones.

«FÁBULA Y RUEDA DE LOS TRES AMIGOS»

El contenido de esta composición está sugerido más expresamente por su primer título, tachado en el manuscrito, «Primera fábula para los muertos». El poeta objetiva su amor perdido en una macabra danza (semejante a la que atacará Nueva York en el poema «Danza de la muerte») realizada por estos tres personajes, que ya están «helados», «quemados», «enterrados» y «momificados». Este aspecto de la composición se subraya en la ilustración fotográfica que la acompaña, la titulada «Estudiantes bailando, vestidos de mujer». El receptor del amor pasado del poeta se desdobla en estos caracteres, de modo similar a lo que sucede en *El público*. Aquí también aparece el nombre de Enrique en primer término, y el tema del disfraz, aludido en la fotografía, es asimismo esencial. El protagonista los ve «perderse llorando y cantando» «por mi dolor lleno de rostros y punzantes esquirlas de luna», y buscarlo por «los cafés y los cementerios y las iglesias», pero «ya no me encontraron».

En esta creación se producen dos procesos importantes dentro de este poemario. En primer lugar, la objetivación de un sentimiento en una realidad concreta (el dolor del protagonista en estos tres muertos danzantes, semejante a la proyección de ese mismo dolor en el símbolo neoyorquino). Y en segundo término, la descripción del mundo de la muerte que llega a cobrar vida, al igual que sucede en otras composiciones de la obra, como «Cementerio judío». Entre los versos tachados en el *Ms* hemos de señalar dos series que siguen al verso «por los palomares donde la luna se pone plana bajo el gallo». En la serie A dice el poeta: «Es justo que yo exprese mi dolor / que me clave zarzas de los pisos más altos», «y que estudie un inglés con narices de pato». En la serie B, se vuelve a repetir la idea inicial, donde está concentrado el contenido del poema, «Es justo que yo exprese mi dolor», y también el verso siguiente. A continuación, aparece una exclamación «¡Oh Federico!», asimismo tachada, al igual que todas las que evocan el nombre del poeta en la obra, como sucede en «Poema doble del lago Edén». Después del verso «por mi muerte desierta con un solo paseante equivocado» hay otra serie de versos, posteriormente desechada, también de gran interés para comprender el significado de esta composición. En ella se describe el proceso interno del poema, por el cual el protagonista ha evocado este amor pasado, para después volverlo a matar:

> «Enrique
> Lorenzo
> Emilio
> os resucito y os mato.»

SECCIÓN II

«LOS NEGROS»

En esta sección el autor recoge uno de los elementos fundamentales del entorno referencial neoyorquino, el mundo de los negros, centrado en el barrio de Harlem. El poeta toma una postura de solidaridad y denuncia ante la situación de esta raza (como lo indica su primera ilustración fotográfica, «Negro quemado») a la vez que alaba su vitalidad como pueblo. En este conjunto aparece igualmente la composición «Iglesia abandonada» que aparentemente se aparta de esta temática. Sin embargo, su inclusión tal vez se explique por la desolación del poeta expresada en sus versos, semejante a la que siente el pueblo negro ante la pérdida de su paraíso, como se manifiesta en las dos creaciones dedicadas a este tema, «Norma y paraíso de los negros» y «Oda al rey de Harlem».

«NORMA Y PARAÍSO DE LOS NEGROS»

Este poema, como indica su título, consta de dos partes bien diferenciadas. La primera, que ocuparía las tres primeras series de versos, describe la «Norma» de los negros, lo que «odian» y lo que «aman», estando su extensión señalada en uno de los manuscritos, el *MsB*, por un guión. Sin embargo, en la segunda, está expresado el «Paraíso» de este pueblo, que posee «la conciencia del tronco y el rastro». Este universo se concreta en un «azul sin historia», «sin temor de día», donde «sueñan los torsos bajo la gula de la hierba». Pero el paraíso soñado no puede ser realidad en el mundo neoyorquino, en este «paraíso quemado», donde sólo «queda el hueco de la danza ¡sobre las últimas cenizas!». En esta composición aparece otro aspecto característico de estas creaciones, la localización espacial de los distintos escenarios que intervienen en un poema. El adverbio «allí», repetido con frecuencia en estas creaciones, sirve para localizar espacialmente este paraíso perdido. Con este significado lo encontramos en «1910 (Intermedio)» para señalar el tiempo feliz de su primera juventud, «Allí mis pequeños ojos», y también en la composición «Tu infancia en Menton» para indicar el paraíso amoroso en que vivía el poeta, «Allí, león, allí, furia del cielo». Con significación semejante aparece en este poema de «Norma y paraíso de los negros», donde sirve para localizar el «paraíso» de este pueblo: «Es allí donde sueñan los torsos bajo la gula de la hierba». Este ejemplo sirve para constatar, una vez más, la estrecha vinculación que establece el poeta entre los distintos estratos de la obra, en este caso, el paraíso perdido de su infancia, el de su amor pasado, y el añorado por el pueblo negro.

«EL REY DE HARLEM»

Esta composición tiene tres partes bien diferenciadas por los asteriscos que la dividen. En la primera, se describe la degradada situación en que viven los negros en la ciudad neoyorquina. Por ello, «es preciso cruzar los puentes», salir de este entorno, para «llegar al rumor negro de caliente piña». Para alcanzarlo «es necesario dar con los puños cerrados» a los que gobiernan la metrópolis, al «rubio vendedor» y a «las pequeñas judías». De ese modo, el rey de Harlem podrá cantar «con su muchedumbre» y los cocodrilos podrán dormir «en largas filas», mientras se restituye en su valor el trabajo realizado por este pueblo con «los plumeros, los ralladores, los cobres y las cacerolas de las cocinas». En la segunda parte, se desarrolla la imagen con que concluye la primera sección, «la sangre estremecida» de esta raza, sometida a una situación de injusticia e insolidaridad. La «violencia granate, sordomuda en la penumbra» se volverá contra «la clorofila de las mujeres rubias», haciendo que la sangre del pueblo negro, «tuétano del bosque», penetre «por las rendijas / para dejar en vuestra carne una leve huella de eclipse». En la tercera parte se vuelve a insistir en la situación de desesperanza que vive esta raza, donde el olvido y el amor (palabras claves con que se abre este poemario, destacadas con mayúsculas en la edición de *Los Cuatro Vientos*) también contribuyen a crear este «desierto de tallos, sin una sola rosa». El poeta termina dirigiéndose a este pueblo, recomendándole que busque «el gran sol, hechos una piña zumbadora», mientras no se produce el momento en que «cicutas y cardos y ortigas turben postreras azoteas. / Entonces, negros, entonces, entonces «podréis» «danzar al fin sin dudas», pero mientras tanto, «Me llega tu rumor atravesando troncos y ascensores, / a través de tu gran rey desesperado / cuyas barbas llegan al mar».

«IGLESIA ABANDONADA
(BALADA DE LA GRAN GUERRA)»

En este poema, como su doble título indica, aparecen entrelazadas varias significaciones, unidas por el tema común de la muerte. La composición está escrita en el mes dedicado a los muertos, en el mes de noviembre, según consta en el manuscrito. Bajo este tema, el autor ha vinculado la muerte incruenta que se produce en el sacrificio de la Misa, con la muerte de los soldados en la «Gran guerra», la «Guerra europea» (según afirman los otros subtítulos de esta composición) y con la muerte del hijo añorado por el protagonista. «Yo tenía un hijo que era un gigante, / pero los muertos son más fuertes y saben devorar pedazos de cielo». El poeta se encuentra desolado por la pérdida de ese hijo hipotético, que «Se perdió por los arcos un viernes de todos los muertos», coincidiendo en el día con la muerte de Cristo. De ahí que sea «un viernes de *todos los muertos*». Comparte su sentimiento con la situación de abandono que padece la iglesia (según el título del poema) por no poder contar con el Hijo perdido, y también con el dolor «de los soldados agonizantes» con «copas llenas de lágrimas». El sentimiento del protagonista se proyecta en estos dos planos, de ahí que el poeta vea la figura del hijo perdido, tanto en el sacrificio de la Misa, como en el escenario de la Gran Guerra. «Lo vi jugar en las últimas escaleras de la misa, / y echaba un cubito de hojalata en el corazón del sacerdote». «Yo vi la transparente cigüeña de alcohol / mondar las negras cabezas de los soldados agonizantes». Si el poeta hubiera tenido un hijo, «¡Si mi niño hubiera sido un oso!», todo el dolor que ahora siente por la relación amorosa perdida no habría tenido lugar, ya que esta relación habría sido de otro signo. Al final de la composición, el protagonista reclama desesperadamente un hijo, símbolo de una realización amorosa que ahora no tiene. «¡Un hijo! ¡Un hijo! ¡Un hijo / que no era más que suyo, porque era su hijo! / ¡Su hijo! ¡Su hijo! ¡Su hijo!»

SECCIÓN III

«CALLES Y SUEÑOS»

En esta sección se encuentran los poemas aparentemente más referenciales de la realidad neoyorquina, los que hablan de Wall Street y de las multitudes de la gran ciudad. Sin embargo, el autor ha precedido este conjunto de un epígrafe que en nada alude a esta realidad, y sí a la situación de desamor que vive el protagonista poético. «Un pájaro de papel en el pecho / dice que el tiempo de los besos no ha llegado». Estos versos de Vicente Aleixandre pertenecen al poema «Vida» de su libro *La destrucción o el amor*. En esta composición se alude también a otro amor perdido, ya que «para morir basta un ruidillo, / el de otro corazón al callarse». De ahí que sólo ayude para superar esta salvación la posibilidad de soñar. «Aquí en la sombra sueño con un río, / juncos de verde sangre que ahora nace, / sueño apoyado en ti calor o vida». Este segundo aspecto se encuentra igualmente en García Lorca, cuya sección se denomina «Calles y sueños». El «sueño» de ese amor pasado, junto al «olvido» de que hablaba Cernuda en la sección I, forman parte de la situación que vive el protagonista de *Poeta en Nueva York*. Estos dos epígrafes, extraídos de obras que tratan fundamentalmente del sentimiento amoroso, como bien indican sus títulos, *Un río, un amor* y *La destrucción o el amor,* fueron añadidos por Lorca al organizar su libro en 1935-36, ya que son los únicos, de los cinco epígrafes existentes en la obra, que encabezan secciones. Con su incorporación, el poeta parece querer subrayar la importancia de este tema dentro del libro, donde constituye el punto de referencia esencial, aunque para expresarlo haya utilizado la multiplicidad de perspectivas contenidas en su visión de la gran ciudad.

«DANZA DE LA MUERTE»

Este poema consta de dos partes, como así lo indican los asteriscos que las separan. En la primera, el protagonista describe el momento en que se inicia la «Danza de la muerte» que da título a la composición. «Era el momento de las cosas secas», «Era la gran reunión de los animales muertos», cuando esta danza, procedente de África, arroja «Arena, caimán y miedo sobre Nueva York». En ese momento en que «el director del banco mide el cruel silencio de la moneda, / el mascarón llegaba a Wall Street». Entonces se produce el baile del «ímpetu primitivo» con el «ímpetu mecánico», en medio de «columnas de sangre y de números, / entre huracanes de oro y gemidos de obreros parados». La segunda parte del poema, sin embargo, empieza con una referencia directa al protagonista. «Yo estaba en la terraza luchando con la luna». Desde allí puede ver que «no son los muertos los que bailan. / Estoy seguro», sino «los otros, los borrachos de plata, / los hombres fríos, / los que duermen en el cruce de los muslos y llamas duras, / los que beben en el banco lágrimas de niña muerta / o los que comen por las esquinas diminutas pirámides del alba». Pero el poeta no quiere que bailen éstos, sino el mascarón, para que escupa «veneno de bosque» sobre Nueva York, y se produzca la invasión de África sobre la ciudad. De este modo «las cobras silbarán por los últimos pisos y la Bolsa será una pirámide de musgo».

Esta composición, escrita en diciembre de 1929 («Oh salvaje Norteamérica, ... / Tendida en la frontera de la nieve») dos meses más tarde de la caída de la bolsa norteamericana, parece ser la réplica a este hecho presenciado por el autor. En ella, el poeta se imagina el ataque del mundo natural a la gran ciudad, como reacción al tipo de sociedad representada por Wall Street (de ahí la inclusión de su ilustración fotográfica y las mayúsculas con que este nombre aparece en la versión de la *Revista de Avance*). Sin embargo, los que participan en esta «Danza de la muerte» no son sólo los que pertenecen a este mundo de «sangre, huracanes de oro y gemidos de obreros parados», sino también «los otros», los hombres sin solidaridad («hombres fríos») y los que no saben comprender la fuerza del amor y, por tanto, «duermen en el cruce de los muslos». Una vez más, el autor ha agrupado en una sola composición varias de las perspectivas contenidas en la obra, uniendo su situación personal a su visión de la gran ciudad. Al mismo tiempo, insiste en uno de sus temas fundamentales, la lucha del mundo natural contra el mecánico, presente en las dos composiciones dedicadas a los negros y de gran repercusión en todo el poemario, como veremos en la creación «Ciudad sin sueño».

«PAISAJE DE LA MULTITUD QUE VOMITA»

Este poema guarda una gran relación con el anterior. Escrito en el mismo mes, diciembre de 1929, continúa la imagen expuesta anteriormente de una inminente destrucción. Sin embargo, la danza del mascarón se ha convertido ahora en una procesión de muerte, presidida por esta «mujer gorda» —que «venía delante»—«mojando el pergamino de los tambores». «Son los muertos... los que nos empujan en la garganta», «Son los muertos que arañan con sus manos de tierra». En esta grotesca figura femenina encarna el poeta «el vómito» que invade la ciudad («El vómito agitaba delicadamente sus tambores») y ante el que se siente perdido. «Yo, poeta sin brazos, perdido / entre la multitud que vomita». Al igual que en la composición anterior, se une aquí la visión apocalíptica de la ciudad neoyorquina con la intimidad amorosa del protagonista, aunque sea este poema mucho menos alusivo a la realidad de Nueva York que «Danza de la muerte». Sus versos recogen el desamparo del protagonista que se encuentra sin la pasión amorosa que le defienda («sin el caballo efusivo que corte / los espesos musgos de mis sienes») de la destrucción simbolizada en el «vómito» y en la «mujer gorda» que «vuelve del revés los pulpos agonizantes». A su paso, se va sembrando la esterilidad, con «mujeres vacías, con niños de cera caliente» y «camareros incansables / que sirven platos de sal». Ante su avance «algunas niñas de sangre» (es decir, que todavía pueden ser fértiles) «pedían protección a la luna», mientras el poeta se defiende «con esta mirada / que emana de las ondas por donde el alba no se atreve». Una mirada que procede de un «amor sin alba», como afirma en «Cielo vivo», aclarando, por tanto, el significado de la palabra «alba» en este poema de «la multitud que vomita». El protagonista vuelve a referirse a su conflicto amoroso, objetivando la destrucción de que ha sido objeto en esta trama poética, en la que todavía no ha llegado a consumarse la destrucción última. (Lorca dará forma a este tema desde muy distintas facetas, y también desde tiempos diferentes, como un proceso con gran multiplicidad de perspectivas, según estamos tratando de esbozar en esta paráfrasis.) La realidad de Coney Island, recinto ferial y de esparcimiento de la ciudad neoyorquina, se queda sólo en el título, y tal vez en la «mujer gorda» (visitadora de ferias) que aparece en el poema. El resto de sus versos son una manifestación más de la angustiada intimidad del protagonista que se expresa en la obra.

«PAISAJE DE LA MULTITUD QUE ORINA»

Esta composición es una de las más negativas del conjunto. En ella, el poeta describe una situación límite, donde «tan sólo el diminuto banquete de la araña / basta para romper el equilibrio de todo el cielo». En sus versos se repiten expresiones de absoluta desolación, «No importa», «Es inútil», «No hay remedio». Este sentimiento lo objetiva el poeta en la figura de «la noche» («abierta de piernas sobre las terrazas») de modo semejante a cómo «el vómito» se encarnaba en una «mujer gorda» en el poema anterior. Ante su presencia, «será preciso viajar» por los «paisajes llenos de sepulcros», «para que venga la luz desmedida / que temen los ricos detrás de sus lupas, / el olor de un solo cuerpo con la doble vertiente de lis y rata», y «se quemen estas gentes que pueden orinar alrededor de un gemido». El autor vuelve a unir en esta composición, al igual que en las dos anteriores, su visión de la ciudad («¡La luna! Los policías ¡Las sirenas de los transatlánticos!») y la denuncia de un mundo insolidario, con la desolación interior y el conflicto amoroso que está padeciendo. «El olor de un solo cuerpo con la doble vertiente de lis y rata», anhelado por el poeta, se asemeja a esa «luz desmedida» que «temen los ricos», explicando, a su vez, la alternancia al hablar de la soledad de los que «se quedaron solos / se quedaron solas» existente en el poema. El significado de estos últimos versos se aclara en la versión del manuscrito donde el poeta afirma: «Solos. / Es decir se querían quedar / solas». La presencia de la noche en esta composición, subtitulada «Nocturno de Battery Place», se corresponde con el sentimiento del protagonista, al igual que en el poema anterior, cuyo subtítulo «Anochecer de Coney Island», también evoca la noche.

«ASESINATO»

En esta composición, la más escueta del conjunto, el poeta reproduce un diálogo supuestamente ocurrido en la «calle 42» neoyorquina, como consta en el subtítulo tachado en el manuscrito. En ella, el poeta sintetiza y concreta en un acto físico el dolor esparcido en el poemario (de modo semejante a lo realizado en otros diálogos del autor como el de Soledad Montoya o el del Amargo). Por su factura, esta creación desentona del conjunto, sin embargo, su temática está totalmente acorde con lo manifestado en sus versos. La «madrugada» que recoge este poema es la representación del dolor del protagonista, como se constata por el significado con que aparece en otras creaciones, como «Nocturno del hueco» y «Cielo vivo». En esta última composición el protagonista anhela un «amor al fin sin alba ¡Amor visible!», sin la terminación, y por tanto la muerte, que lleva implícita la madrugada.

«NAVIDAD EN EL HUDSON»

En este poema continúa el clima de desolación de «Paisaje de la multitud que orina», pero aquí mucho más intensificado. El poeta se concentra en su sentimiento de soledad, que expande al mundo que le rodea, «El mundo solo por el cielo solo», teniendo como fondo la propia soledad del río Hudson, «Ese río grande». El protagonista se identifica con él («¡Oh río grande mío!») sintiéndose «con las manos vacías en el rumor de la desembocadura». Su lucha, encarnada en la de «cuatro marineros luchando con el mundo», no ha tenido fruto, porque ellos no tenían conocimiento «de que el mundo / estaba solo por el cielo». El poeta, que ha «pasado la noche», «dejándome la sangre», «ayudando a los marineros a recoger las velas desangradas», se da cuenta de que nada importa, utilizando la misma expresión que en el poema «Paisaje de la multitud que orina». «No importa que cada minuto / un niño nuevo agite sus ramitos de venas», «Lo que importa es esto: hueco. Mundo solo. Desembocadura». No hay posibilidad de mañana, sólo un pasado inerte que no puede cambiar, «No alba. Fábula inerte». El protagonista se refiere así a su desengaño amoroso, que es reafirmado al final de la composición. «¡Oh filo de mi amor! ¡Oh hiriente filo!», «¡Oh cuello mío recién degollado!». Este sentimiento de desolación es intensificado dentro del poemario con la inclusión de la fotografía que, siguiendo el orden transcrito por Humphries, debía ilustrar este poema, la titulada «Desierto».

«CIUDAD SIN SUEÑO»

En esta composición, escrita el 9 de octubre de 1929, el poeta ofrece una visión de la ciudad en «vigilia», como señala el subtítulo después desechado de «Vigilia». «No duerme nadie por el cielo. Nadie, nadie». Los seres de este entorno deben estar «¡Alerta! ¡Alerta! ¡Alerta!» ante el inminente ataque del mundo africano. «Vendrán las iguanas... / y el que huye... encontrará / al increíble cocodrilo». Este tema lo subraya el autor con las dos ilustraciones fotográficas que, siguiendo el orden transcrito, deberían acompañar esta composición, «Máscaras africanas» y «Fotomontaje de una calle con serpientes y animales salvajes». Este mismo tema aparecerá posteriormente en el poema compuesto dos meses más tarde, «Danza de la muerte», como ya vimos. Sin embargo, como en el resto de composiciones que tratan sobre la ciudad, también aquí aparecen varias significaciones entrelazadas. La palabra «sueño» no sólo representa en este poema el hecho físico, sino también la capacidad de ensoñación del individuo. De ahí, que «las iguanas vivas» vengan «a morder a los hombres que no sueñan», mientras «el que huye con el corazón roto encontrará por las esquinas / al increíble cocodrilo quieto bajo la tierna protesta de los astros». El poeta se siente despojado de sus sueños y proyecta este sentimiento en una «ciudad sin sueño», haciéndola partícipe de su desesperanza. «Haya un panorama de ojos abiertos / y amargas llagas encendidas. / No duerme nadie por el mundo, Nadie, nadie. / Ya lo he dicho».

«PANORAMA CIEGO DE NUEVA YORK»

En esta composición el poeta se centra en el tema del dolor, aludido en el subtítulo desechado de «Canto del espíritu interior». Sus versos parecen establecer un paralelismo entre un mundo dolorido (donde «los pájaros están a punto de ser bueyes» y «Todos comprenden el dolor que se relaciona con la muerte») y el propio dolor del protagonista. «Yo muchas veces me he perdido» «y sólo he encontrado marineros echados sobre las barandillas», «y niños enterrados en la nieve / y niños que jugaban con las llamas», como se afirma en estos dos últimos versos, tachados en el manuscrito. La figura del marinero, aparecida en «Navidad en el Hudson», vuelve a surgir aquí, también con «velas desgarradas», según consta en esa otra composición, como exponente del truncado sentimiento del poeta. Sin embargo, es algo más que dolor lo que se deriva de que «algunos niños idiotas hayan encontrado por las cocinas / pequeñas golondrinas con muletas / que sabían pronunciar la palabra amor». Es la misma muerte («No hay dolor en la voz. Sólo existen los dientes, / pero dientes que callarán aislados por el raso negros») la que aparece en el poema, como expresión de esta ausencia de realización amorosa en el protagonista.

«NACIMIENTO DE CRISTO»

En este poema (incluido en esta sección donde abundan las composiciones escritas en diciembre, entre ellas «Navidad en el Hudson») el protagonista habla, como indica su título, del «Nacimiento de Cristo». Sin embargo, la escena que el poeta presenta de este nacimiento cristiano no es jubilosa. Los distintos elementos que lo componen («un pastor», un «Cristito de barro», «San José», «la mula», más «la Virgen», según consta en el *Ms)* también han sido alcanzados por el signo negativo que domina el poemario. El centro de este «belén» cristiano no es el Niño (escrito con minúscula en la composición) sino el «Cristito de barro». El autor ve en la escena jubilosa que debería ser este nacimiento, los signos de la muerte que esperan al futuro Cristo. «Los pañales exhalan un rumor de desierto», mientras «San José ve en el heno tres espinas de bronce». «La nieve de Manhattan» cierra la escena, al tiempo que «Sacerdotes idiotas y querubes de pluma / van detrás de Lutero por las altas esquinas».

«LA AURORA»

En esta composición el poeta continúa expresando su sentimiento de desolación, asociado a la ciudad neoyorquina. De ahí que conservemos el lugar en que fue publicado en la edición Séneca. Este poema describe «la aurora de Nueva York» como un inmenso dolmen con «cuatro columnas de cieno / y un huracán de negras palomas», donde «la luz es sepultada por cadenas y ruidos / en impúdico reto de ciencia sin raíces». Sin embargo, la negación de la aurora en este poema no alude únicamente al fenómeno físico del «Amanecer» (como señala uno de sus títulos desechados) sino que también representa la falta de mañana para todos los que viven en este entorno, y para el mismo poeta. «Allí no hay mañana ni esperanza posible» y «Los primeros que salen comprenden con sus huesos / que no habrá paraíso ni amores deshojados». De modo semejante a lo que sucedía en «Ciudad sin sueño» con la doble significación de la palabra «sueño», también en este poema la «aurora» tiene un doble contenido. Representa igualmente la esperanza para los seres marginados de esta sociedad (de ahí el primer título desechado de «Obreros parados») y para el mismo protagonista, que comprende «que no habrá paraíso ni amores deshojados». Esta falta de «aurora» para los habitantes de esta ciudad-mundo es similar a la ausencia de «sueño», expresada anteriormente, y a la negación de regocijo que entraña el «Nacimiento» presentado por Lorca, convertido en preludio de muerte.

SECCIÓN IV

«POEMAS DEL LAGO EDEN MILLS»

En las dos composiciones que forman esta sección, «Poema doble del lago Eden» y «Cielo vivo» el poeta vuelve a centrarse en su mundo íntimo, recobrando parte de la temática expuesta en la sección I, «Poemas de la soledad en Columbia University». El protagonista expresa su dolor, aunque también manifiesta su deseo de salir de la situación en que se encuentra a través de su «voz libertada». Con este matiz el autor diferencia estas creaciones de las agrupadas en la sección VI, que aparecen bajo el negativo subtítulo de «Poemas de la soledad en Vermont». El lugar que estas composiciones de Eden Mills ocupan en el poemario tampoco se corresponde con su cronología, ya que fueron escritas durante el verano de 1929, con anterioridad a las que forman la sección III, «Calles y sueños». Este desajuste cronológico indica, una vez más, la diferencia existente entre la «estructura externa» de la obra y su «configuración interna», dependiente ésta del contenido de los poemas, y no de su posterior ordenación.

«POEMA DOBLE DEL LAGO EDEN»

En esta composición el poeta establece un paralelismo (de ahí el título de «Poema doble») entre su «voz antigua» y su palabra actual, «voz de hojalata y de talco». La primera expresa la felicidad de los tiempos pasados, cuando todavía era «ignorante de los densos jugos amargos». Su palabra correspondía entonces a la «voz antigua de mi amor, voz de mi verdad», y «no conocía la impasible dentadura del caballo». Sin embargo, hoy, el protagonista reconoce haber experimentado «el uso más secreto de un viejo alfiler oxidado / y sé del horror de unos ojos despiertos / sobre la superficie concreta del plato». Pero el poeta no quiere endulzar la terrible realidad vivida («no quiero mundo

255

ni sueño, voz divina»). Necesita hablar de ella libremente («Voz mía libertada que me lames las manos») «para decir mi verdad de hombre de sangre». «Quiero mi libertad, mi amor humano / en el rincón más oscuro de la brisa que nadie quiera».

Esta nueva realidad, en la que «la bruma y el Sueño y la Muerte me estaban buscando», reclama una nueva expresión literaria, que manifieste su situación actual de modo distinto al aparecido en obras anteriores. Ahora quiere hablar «matando en mí la burla y la sugestión del vocablo». Para expresar la doble reflexión, personal y literaria que encierra este poema (tal vez también de ahí el título de la composición) el protagonista *se desdobla* en otro personaje, en un proceso igualmente reflejado en el título. Es el propio «Federico García Lorca, a la orilla de este lago», como se afirma en el *Ms*, que habla sobre su intimidad con un cierto distanciamiento, «Así hablaba yo». Este último carácter «doble» del poema explica el epígrafe de Garcilaso que lo precede. Un verso perteneciente a la *Egloga segunda,* en la que el sentir garcilasiano se proyecta en dos personajes, Salicio y Nemoroso, en un proceso semejante al producido en «Poema doble». También ellos, como el protagonista de Lorca, van a hablar sobre su intimidad, una vez que «Nuestro ganado pace, el viento espira», según consta en el epígrafe de Garcilaso, colocado por Lorca al frente del poema.

«CIELO VIVO»

En este poema el protagonista reflexiona como en la composición anterior, sobre su situación amorosa actual. «Yo no podré quejarme / si no encontré lo que buscaba». Sin embargo, no se resigna a vivir bajo la terrible presencia «de las piedras sin jugo y los insectos vacíos». De ahí, que quiera encontrar otro «paisaje / de choques, líquidos y rumores», donde «lo que busco» pueda tener «su blanco de alegría / cuando yo vuele mezclado con el amor y las arenas». De nuevo el tema de la búsqueda, asociado esta vez a ese «paisaje» donde el poeta sitúa su realización amorosa a través «de choques, líquidos y rumores». Un paisaje totalmente opuesto al de poemas como «Paisaje con dos tumbas y un perro aisirio», «Paisaje de la multitud que vomita» o «Paisaje de la multitud que orina», que eran «paisajes llenos de sepulcros», como se afirma en esta última composición. En estas dos últimas creaciones el sentimiento amoroso del protagonista estaba amenazado, respectivamente, por «el vómito» (encarnado en «una mujer gorda») o por «la noche», «abierta de piernas sobre las terrazas». Sin embargo, en «Cielo vivo» el protagonista habla de un paisaje (representado por la partícula adverbial *allí)* completamente diferente, donde «no llega la escarcha de

los ojos apagados» y «se comprende la verdad de las cosas equivocadas» («Bajo las raíces y en la médula del aire», «Amor al fin sin alba
¡Amor visible!»). Este paisaje es el paraíso perdido y añorado por el
poeta, que aparece igualmente en «Tu infancia en Menton» y en «1910
(Intermedio)» representado por la misma partícula *allí,* como ya vimos. Este paraíso se encuentra en «Cielo vivo» «bajo las raíces», de
igual modo que en *El público* el teatro «sobre la arena» era el único ca-
paz de expresar «la verdad de las cosas equivocadas», la única verdad
para el poeta.

SECCIÓN V

«EN LA CABAÑA DEL FARMER»

Los tres poemas que componen este apartado tienen el denominador común de aludir a hechos y seres concretos, que pudieron ser conocidos por el autor durante su estancia en el campo, en el verano de 1929. Este carácter de cotidianeidad, que los aleja de las creaciones de la sección anterior, se refleja en el título del apartado y en la ilustración fotográfica que lo acompaña, «Escena rural americana». Sin embargo, no todos los elementos, aparentemente reales, que aparecen en estos poemas formaron parte de la experiencia del poeta. El escenario rural que se desprende de la «estructura externa» de la sección, con el niño Stanton, una niña ahogada en el pozo, y una vaca malherida, no se corresponde exactamente con la significación de sus versos. El suceso de la niña ahogada (cuya víctima aparente sería la pequeña Mary, hija también del granjero de Catskills, con quien Lorca pasó parte de sus vacaciones, junto a Ángel del Río) nunca ocurrió. Tampoco la muerte de la vaca fue un hecho real, aunque con esta significación quiera aparecer en el poemario. Sólo existió una vaca herida a la que Lorca y Philip Cummings (amigo de Federico en la Residencia de Estudiantes de Madrid, a quien fue a visitar a Vermont) vieron cuando iban a recoger leche a la granja vecina, según este último autor. Únicamente el niño Stanton, y el cáncer que padecía su padre, así como esta vaca herida, fueron realidades objetivas. El resto de vivencias de esta experiencia «rural» en «la cabaña del Farmer» son recreaciones del poeta, realizadas varios meses después en Nueva York (diciembre y enero de 1929-1930) y que apenas tienen que ver con esta significación aparente, como veremos en las páginas que siguen.

«EL NIÑO STANTON»

En esta composición, escrita en Nueva York varios meses después de haber conocido a este niño en la granja de Castkills, el poeta revive su figura como único apoyo de su dolor actual. «Cuando me quedo solo / me quedan todavía tus diez años». La obsesión que, según Ángel del Río, tenía Lorca por la enfermedad cancerosa del padre, se refleja en el poema, donde el cáncer inunda gran parte de sus versos. «El vivísimo cáncer lleno de nubes y termómetros», «el cáncer sin alambradas latiendo por las habitaciones». Su presencia «en la casa» sirve al protagonista para hablar de su propia agonía. «Mi dolor sangraba por las tardes», «Mi agonía buscaba su traje». «Porque es verdad que la gente / quiere echar a las palomas a las alcantarillas / y yo sé lo que esperan los que por la calle / nos oprimen de pronto las yemas de los dedos». Ante esta situación, la figura del niño vuelve a reconfortar al poeta. «Stanton. Hijo mío. Stanton», «Tu ignorancia es un monte de leones, Stanton». De ahí que lo que envíe al mundo natural para que pueda encontrar el paraíso que él ya ha perdido. «Stanton, vete al bosque con tus arpas judías / vete para aprender celestiales palabras / que duermen en los troncos, en nubes, en tortugas, para que aprendas, hijo, lo que tu pueblo olvida». Y mientras, el poeta, «solo en olvido, / con tus caras marchitas sobre mi boca» se enfrentará a su situación actual, «iré penetrando a voces las verdes estatuas de la Malaria».

En este poema el niño aparece con una significación positiva, como única defensa del poeta frente al angustiado sentimiento que lo domina. La figura de Stanton pierde gran parte de su valor referencial para acercarse a la valoración positiva de la infancia existente en el poemario. Así aparece en otras creaciones, como «1910 (Intermedio)» o «Tu infancia en Menton», como ya vimos. El poeta encarna en este personaje todo lo que de positivo tiene la niñez, cuando todavía no se ha visto «enterrar a los muertos, / ni la feria de ceniza del que llora por la madrugada», según se afirma en «1910 (Intermedio)». De ahí, que destaque «la ignorancia» de Stanton (valorándola positivamente como «un monte de leones») y la relacione con el mundo natural, como sucedía en «Intermedio» con la figura del protagonista. Por el contrario, la otra «niña» que aparece en esta sección, la «Niña ahogada en el pozo», representa una faceta totalmente diferente de este tema. Su muerte está relacionada con la frustración amorosa del poeta, al igual que el niño muerto de «Iglesia abandonada». También en «Niña ahogada» han desaparecido las características referenciales del personaje para encarnar un aspecto del mundo íntimo del protagonista poético.

«VACA»

En esta composición el poeta parece evocar el hecho anteriormente citado de la vaca herida. Sin embargo, el sentido del poema se aleja bastante del entorno rural concreto para trasladarse a un sistema de significaciones propio del mundo interior del poeta. La composición aparentemente describe los distintos momentos de la muerte de una vaca. Desde que cae herida («Se tendió la vaca herida» y «Su hocico sangraba por el cielo») hasta que entra en el mundo de los muertos al final del poema («ya se fue balando / por el derribo de los cielos yertos»). En medio, otras alusiones a las consecuencias que puede tener esta muerte. La solidaridad de «las vacas muertas y las vivas» que «balaban con los ojos entornados», y la disposición de «aquel niño que afila su navaja» ante la posibilidad «de que ya se pueden comer la vaca». Sus «cuatro pezuñas tiemblan en el aire», «ya se fue la vaca de ceniza». Sin embargo, esta significación, aparentemente referencial, se enriquece al compararla con la aparición de este animal en otros contextos del poemario. Con esta figura mítica se identifica la de Cristo en «Crucifixión», siendo atacada también por los fariseos, que la maldicen insistentemente. «Esa maldita vaca, maldita, maldita». Su figura cobra así una dimensión trascendente, convirtiéndose en un símbolo positivo como fuente de vida. «Y los fariseos dijeron: / Esa maldita vaca tiene las tetas llenas de leche». Su destrucción en el poema «Vaca» es un exponente más de la desintegración que está viviendo el poeta, que buscará también para manifestarla la figura de la «niña ahogada en el pozo» en la siguiente composición. En el poema «Vaca» el protagonista se adentra en el mundo más allá de la muerte, describiendo el momento en que este animal «se fue balando / por el derribo de los cielos yertos». Esta intromisión en la vida de ultratumba es característica de estas creaciones, apareciendo en varias de ellas, como «Cementerio judío», donde su protagonista «se cortó las manos en silencio», después de haber ocupado ya «su litera», su correspondiente lugar en el cementerio.

«NIÑA AHOGADA EN EL POZO»

En esta composición, escrita en la ciudad de Nueva York, como afirma uno de sus versos («en la escala de las heridas y los edificios deshabitados») el poeta evoca la figura de una niña ahogada en el pozo, «tranquila en mi recuerdo». Sin embargo, aunque este hecho no sucedió realmente, el protagonista sitúa este suceso en aquel entorno rural, a pesar de localizar erróneamente «Newburg» en la zona de Castkills. El pozo de que habla el poeta podrían ser unos «grandes pozos» que, según Ángel del Río, había cerca de la granja, evocándole la imagen de los pozos granadinos (y de ahí el subtítulo de «Granada y Newburg»). El cariño recíproco entre el autor y estos niños de la granja de Castkills se transforma en el poemario en una muerte ficticia, con la que el protagonista se identifica. En esta niña ahogada (que alude a la pequeña Mary, por la que el autor sentía una gran ternura) el poeta ve un proceso de destrucción semejante al que él está viviendo. De ahí que se identifique totalmente con ella, hablándole de modo directo «tú lates para siempre definida en tu anillo», y describiendo minuciosamente su angustiada situación. «Lloras por las orillas de un ojo de caballo», «Pero nadie en lo oscuro podrá darte distancias, / sino afilado límite: porvenir de diamante». Le insta a que se levante («¡Levántate del agua!») porque «¡ya vienen por las rampas!». «¡Cada punto de luz podrá darte una cadena!» para lograr salir. «Pero el pozo te alarga manecitas de musgo» y el agua está «fija en un punto, / respirando con todos sus violines sin cuerdas». «¡Agua que no desemboca!». Al igual que en el poema «Vaca», el protagonista se adentra en el mundo más allá de la muerte, imaginándose lo que sucedería después de ese momento. Como en esta creación, y en «El niño Stanton», la muerte descrita en «Niña ahogada en el pozo» no es para el protagonista un hecho ajeno a su intimidad. Está estrechamente vinculada a su situación amorosa actual, según consta en la segunda estrofa existente en el manuscrito de «Asesinato», después desechada: «¡Amor, amor, avanza tus arados! / No quiero ser mañana en la vitrina / niña de piedra, quieta en los finales». Estos versos aclaran la significación del poema, que establece un paralelismo entre esta «niña de piedra, quieta en los finales» y la figura del protagonista que huye de una muerte amorosa semejante. Esta relación aparece también en unos versos desechados del *Ms* de 1929, donde, después de recordar a la niña y verla llorar, dice el poeta: «Si es necesaria la sangre yo tengo tres caballos. / La sangre de tres caballos será suficiente. Es preciso». El protagonista se compadece de esta muerte, ofreciendo su sacrificio (estos «tres caballos» que encarnan su pasión amorosa) por el de esta niña. Esto nos lleva al poema de «Iglesia abandonada», donde también el sacrificio de ese hipotético hijo está unido al Sacrificio de la Misa, según vimos, relacionado, a su vez, con el ocurrido en el poema «Vaca», según los versos de «Crucifixión» antes citados.

SECCIÓN VI

«INTRODUCCIÓN A LA MUERTE (POEMAS DE LA SOLEDAD EN VERMONT)»

El aspecto dominante en esta sección es el tema de la muerte, aunque enfocado bajo diferentes perspectivas, según la tendencia existente en la obra. El protagonista plasma la «soledad» mencionada en el subtítulo en un universo de muerte, reforzado por la ilustración fotográfica que lo precede, la denominada «Matadero». En sus poemas, unas veces, alude a los elementos que lo han producido («las hierbas», «la luna», «los insectos») y otras, se centra en las consecuencias de esa muerte («Nocturno del hueco»), mientras especifica que se trata de una muerte de amor («Luna y panorama de los insectos (Poema de amor)»). La diferencia con las creaciones de la sección I, agrupadas también bajo el rótulo común de «soledad», radica en que allí el poeta habla con mayor detenimiento de las causas que la han provocado, mientras en esta sección VI se centra fundamentalmente en sus consecuencias. Sin embargo, unas y otras responden a la misma situación de desamor sufrida por el protagonista poético, presente en todo el conjunto.

«MUERTE»

En esta composición se contrapone el esfuerzo que significa la vida, en búsqueda continua, con la realidad «sin esfuerzo» de la muerte. Mediante un juego de palabras, en el que un verso enlaza con el siguiente, el poeta expresa el movimiento que contiene la vida. Los distintos seres buscan ansiosamente convertirse en otra cosa. «¡Qué esfuerzo del caballo / por ser perro! / ¡...del perro por ser golondrina! / ¡...de la golondrina por ser abeja! / ¡...de la abeja por ser caballo!». De esta búsqueda forma parte el protagonista poético. «Y yo, por los aleros, /

¡qué serafín de llamas busco y soy!». Frente a este ansia, la realidad estática de la muerte (comparable al «agua fija» de «Niña ahogada en el pozo»), «Pero el arco de yeso, / ¡qué grande, qué invisible, que diminuto! / sin esfuerzo». El poeta vuelve a enlazar en esta creación la realidad descrita en el poema con su situación amorosa («¡qué serafín de llamas busco y soy!»). Para todos los que han intervenido en esta búsqueda, incluido el protagonista, el final es el mismo, la terrible realidad de la muerte. Este tema de la muerte aparece enfocado en el poemario desde muy distintos puntos de vista, como estamos viendo, pero siempre con un denominador común, su exhaustiva presencia y su estrecha vinculación con el mundo interior del protagonista poético. La búsqueda expresada en esta composición concluye en muerte, porque así ha finalizado la experiencia amorosa del poeta, como se afirma repetidamente en la mayor parte de las creaciones de este poemario.

«NOCTURNO DEL HUECO»

En esta composición el poeta, al igual que en varias de las creaciones analizadas anteriormente («Anochecer en Coney Island», «Nocturno de Battery Place» y «Nocturno de Brooklyn Bridge»), vuelve a elegir el mundo de la noche para expresar sus sentimientos —«Nocturno del hueco»—. Sin embargo, esta manifestación (sintetizada en el vocablo «nocturno») tiene ahora como centro la intimidad del protagonista, «Mi hueco sin ti, ciudad, sin tus muertos que comen». El hecho de que este poema esté escrito en las montañas de Castkills, durante el mes de septiembre, según Ángel del Río, explica la significación de este verso, donde el poeta puntualiza que va a hablar de su dolor fuera de la ciudad neoyorquina. Dividido en dos partes, en la primera, el protagonista describe las consecuencias de que «todo se ha ido». El mundo de «huecos y de vestidos», y también «tu mudo hueco, ¡amor mío!». «Dentro de ti, amor mío, por tu carne, / ¡qué silencio de trenes boca arriba! / ¡cuánto brazo de momia florecido! / ¡qué cielo sin salida, amor, qué cielo!». En esta relación amorosa que ha terminado, el poeta ve «los huecos de mañana / con los huecos de ayer sobre mis manos», según afirma en uno de los versos de la edición Norton. Un «amor huido», que se proyecta en «la angustia de un triste mundo fósil / que no encuentra el acento de su primer sollozo». El hueco de la persona amada está unido al hueco del protagonista y al del universo inespacial que los rodea. «No, no me des tu hueco / ¡que ya va por el aire el mío! / ¡Ay de ti, ay de mí, de la brisa! / Para ver que todo se ha ido».

En la segunda parte de la composición, el poeta se limita a describir el hueco que este «amor inexpugnable» ha dejado en su propia persona. Su pasión amorosa ya no tiene posibilidad de realizarse. «Yo. / Con el hueco blanquísimo de un caballo / crines de ceniza». Su ausencia le ha convertido en «Piel seca de uva negra», dejándolo en una situación límite —«Ecuestre por mi vida definitivamente anclada»—en la que «No hay signo nuevo ni luz reciente». Esta situación recuerda la expresada en «Poema doble del lago Eden», donde el poeta habla de que su cuerpo flota «entre los equilibrios contrarios». También nos lleva a la manifestada en otra creación escrita en Castkills, aunque perteneciente a la sección I, «Vuelta de paseo». En ella el protagonista afirma, como ya vimos, que «Entre las formas que van hacia la sierpe / y las formas que buscan el cristal / dejaré crecer mis cabellos», es decir, entre «los equilibrios contrarios» de la composición anterior. Este desesperado sentimiento del poeta, que se encuentra «Rodeado de espectadores que tienen hormigas en las palabras», contrasta con la añorada fuerza del amor. Bastaría «tocar el pulso de nuestro amor presente / para que broten flores sobre los otros niños», «Dame tus manos de laurel, amor». Sin embargo, esta aspiración no puede realizarse. De ella sólo queda «un caballo azul y una madrugada» como afirma el último verso de la composición. Una ilusión perdida, «un caballo azul» (también presente en el poema «Tu infancia en Menton», donde se denomina a la persona amada «caballo azul de mi locura») y «una madrugada», la terrible realidad actual del poeta. Esta «madrugada» también explica la presencia de «Asesinato» en este poemario, donde el protagonista plasma el dolor esparcido en el conjunto en un diálogo entre «Dos voces de madrugada en Riverside Drive», como ya vimos.

«PAISAJE CON DOS TUMBAS Y UN PERRO ASIRIO»

El contenido de esta creación enlaza con lo expresado en «El niño Stanton». El cáncer aparece también aquí, y el protagonista se refiere igualmente a un niño, con el que vivió «cien años dentro de un cuchillo», llamándole «hijo mío» como en aquel poema. La composición recoge el mundo más allá de la muerte, como «Vaca», «Niña ahogada en el pozo» y «Cementerio judío». Según Ángel del Río, este perro que aparece en el poema tiene su origen en «un perro enorme, viejo y medio ciego», existente en la granja de Castkills, que «a menudo dormía en el pasillo a la puerta de la habitación de Lorca». «El terror que esto le producía» parece dar pie a la composición. En ella el poeta imagina a dos amigos muertos como indica su título («Paisaje con dos tumbas») trasposición de la próxima muerte por cáncer del padre de Stanton. Uno de estos personajes insta al otro a que se levante «para que oigas aullar / al perro asirio». Su aullido es «una larga lengua morada que deja / hormigas de espanto y licor de lirios», que se acerca a la tumba de los dos amigos («Ya viene hacia la roca»). Ante su presencia, uno de ellos «gime» y solloza en sueños, mientras el otro reflexiona sobre su amor perdido —«las hierbas de mi corazón están en otro sitio»— y recuerda su anterior deseo de un hijo. Esta ilusión ya no tiene sentido. Los dos amigos están muertos. «El caballo tenía un ojo en el cuello / y la luna estaba en un cielo tan frío / que tuvo que desgarrar su monte de Venus / y ahogar en sangre y ceniza los cementerios antiguos». Este «caballo» citado aquí por el poeta aparece también en las otras composiciones que rememoran el entorno de Castkills. En «El niño Stanton» el protagonista habla de «los tres caballos ciegos», mientras a la «Niña ahogada en el pozo» le dice «lloras por los ojos de un caballo». La presencia de este animal podría explicarse, según la versión de Lorca al poeta argentino José González Carvalho, por el hecho de que en la granja de Castkills existía un «caballo ciego». Sin embargo, Ángel del Río ha desmentido su presencia, así como otros elementos de este entorno citados por Lorca, que llegó incluso a afirmar la muerte de esta niña ahogada en su conferencia-recital sobre *Poeta en Nueva York*. La imagen de este caballo indica, una vez más, el carácter no absolutamente referencial de estas creaciones, teniendo una significación semejante a la del mundo de muerte plasmado por el poeta. Esta figura, símbolo generalmente del ímpetu amoroso en García Lorca, aparece aquí mutilada, de igual forma que la destrucción del sentimiento amoroso del protagonista se encarna en esos «paisajes de sepulcros» existente en el poemario, que tendrían su máxima expresión en este «Pasaje con dos tumbas y un perro asirio». De ahí, que la «Niña ahogada en el pozo», con la que se identifica el protagonista, llore «por los ojos» de este caballo, que encarna el amor desaparecido del poeta.

«RUINA»

En esta composición se describe un estado de destrucción cósmica, sintetizado en la denominación de «Ruina». Los distintos elementos de la naturaleza, el aire, la luna, la arena, el agua, la primer paloma, aparecen con signos negativos, y a veces en lucha entre ellos. «La luna / era una calavera de caballo / y el aire una manzana oscura». «Se sentía / la lucha de la arena con el agua», y las nubes «se quedaron dormidas contemplando el duelo de las rocas con el alba». En este momento de destrucción universal, «yo vi venir las hierbas / y les eché un cordero que balaba / bajo sus dientecillos y lancetas». Pero «vienen las hierbas, hijo. / Ya suenan sus espadas de saliva / por el cielo vacío», penetrando «por los cristales rotos de la casa», donde «la sangre desató sus cabelleras». «Mi mano, amor. ¡Las hierbas!». Ya «Tú solo y yo quedamos». «Prepaara tu esqueleto para el aire». «Hay que buscar de prisa, amor, de prisa, / nuestro perfil sin sueño». Mediante esta trama poética, el protagonista vuelve a describir una situación límite, en la que se siente la amenaza de la muerte, representada por «las hierbas». Esta muerte está relacionada con el sentimiento amoroso. El poeta le habla a la figura del «hijo», indicándole la inminente llegada de la muerte, y ofrece su mano a la persona amada para escapar de la inmediata destrucción. «Mi mano, amor. ¡Las hierbas!». La única posibilidad es «buscar» (de nuevo la aparición de este verbo) su propia identidad, pero conscientemente, y sin que implique destrucción alguna. «Hay que buscar de prisa, amor, de prisa, / nuestro perfil sin sueño». Esta búsqueda está también presente en el poema de la sección I, «Vuelta de paseo», escrito en Castkills al igual que «Ruina». Allí el protagonista afirma, en unos versos después desechados, que «Entre el gentío de las formas soy el único que busca», demostrando una vez más que la «configuración interna» de la obra relaciona poemas separados posteriormente por la «estructura externa» del libro.

«AMANTES ASESINADOS POR UNA PERDIZ»

Este poema en prosa ya ha sido examinado anteriormente en el apartado que lleva su nombre. Sólo añadir aquí que las principales diferencias de contenido entre los textos de su primera y última versión, las de *Verso y prosa* y *Ddooss,* podrían cifrarse en tres aspectos esenciales: 1) un cambio en la persona verbal, siendo en *Ddooss* mucho más abundante la primera del singular. 2) La inclusión de dos párrafos en su versión última, donde aparecen claras referencias a su obra teatral *El público,* señaladas asimismo con anterioridad (los profesores de la Universidad ofreciendo «miel y vinagre con una esponja diminuta» y «las mujeres enlutadas» en casa del Gobernador que comía «pescados fríos». 3) Y por último, un mayor énfasis en el texto de *Ddooss* a la descripción del aspecto amoroso del poema, dándole a los tres pasajes en que se describe una disposición poemática. Estos cambios, realizados por Lorca en su versión de 1931, acercan este texto a la etapa neoyorquina, distanciándolo del tono de sus otros poemas en prosa, lo que explicaría su intención de integrarlo en *Poeta en Nueva York.*

«LUNA Y PANORAMA DE LOS INSECTOS»

Al contenido de este poema ya nos hemos referido con anterioridad al hablar de «Amantes asesinados por una perdiz» y de los «epígrafes» existentes en el poemario. Sólo destacar aquí los silogismos ilógicos que dominan la composición, y la importancia del tema del amor («Criatura de pecho devorado. / ¡Mi amor!», «Corazón / devorado por las nebulosas»). Este sentimiento amoroso aparece amenazado por «la luna y los insectos», del mismo modo que lo era por «las hierbas» en el poema «Ruina». Frente a esta amenaza, la alusión directa al tema de la muerte en las otras composiciones de este apartado, «Muerte», «Nocturnos del hueco» y «Paisaje con dos tumbas y un perro asirio»,así como la muerte de amor en «Amantes asesinados por una perdiz», existente también en «Luna y panorama de los insectos (Poema de amor)», como ya vimos.

SECCIÓN VII

«VUELTA A LA CIUDAD»

En las creaciones de esta sección, «Nueva York (Oficina y denuncia)», «Cementerio judío» y «Crucifixión», el poeta une su denuncia a un tipo de sociedad insolidaria, centrada en la Bolsa de Nueva York, con el tema de la muerte. La ilustración fotográfica que la encabeza, denominada «La Bolsa», destaca la importancia de este aspecto dentro del apartado. El tema de la muerte aparece en las tres composiciones citadas, afectando, respectivamente, al mundo natural, a un representante del pueblo judío (símbolo del poder económico) y a la figura de Cristo, cuya muerte por amor está estrechamente vinculada a la del protagonista poético. La significación de este apartado dista mucho, por tanto, de la que podría desprenderse de la «estructura externa» de la obra, en la que el poeta, después de su placentera estancia en el campo, vuelve a la vorágine neoyorquina.

«NUEVA YORK (OFICINA Y DENUNCIA)»

En esta composición el poeta hace una «denuncia» (señalada en el título) de un tipo de sociedad dominada por «las multiplicaciones, las divisiones» y «las sumas» que, a la vez, ignora «la otra mitad, / la mitad irredimible». El protagonista aboga por los seres desvalidos de la naturaleza, los «cuatro millones de patos», «cinco millones de cerdos», «dos mil palomas», «un millón de vacas», «un millón de corderos / y dos millones de gallos», que «ponen sus gotas de sangre / debajo de las multiplicaciones». A la gente que ignora este dolor, «os escupo en la cara», mientras «la otra mitad me escucha, volando en su pureza». El poeta comprende el «mundo de ríos quebrados y distancias inasibles» que hay «en la patita de ese gato quebrada por el automóvil», y también la «tierra estremecida» del que nada «por los números de la oficina». De ahí, que decida denunciar la actitud de ese mundo que no es sensible al dolor ajeno (que no radia «las agonías») y borra «los programas de la selva», ofreciéndose «a ser comido» por salvar la otra mitad que «me escucha». Porque «¿Qué voy a hacer? ¿Ordenar los paisajes? / ¿Ordenar los amores que luego son fotografías?», «No, no, yo denuncio». El protagonista establece aquí (como ya vimos anteriormente al analizar las diferentes perspectivas existentes en estas creaciones) una estrecha relación entre su situación personal y el sufrimiento que le rodea. No puede permanecer al margen cuando él mismo ha sido víctima de otra actitud insolidaria. Su denuncia, por tanto, no sólo tiene un matiz social, también está basada en el dolor que se deriva de su experiencia amorosa como individuo.

«CEMENTERIO JUDÍO»

En esta composición el poeta se adentra de nuevo en el mundo más allá de la muerte, sirviéndose del fallecimiento de un judío, símbolo del poder económico. Describe los diferentes momentos de este hecho, desde que «el judío empujó la verja» del cementerio, hasta que «apretando los ojos, / se cortó las manos en silencio» al final de la composición. En medio aparecen alusiones aisladas al entorno de esta muerte. Los médicos que «ponen en el níquel sus tijeras y guantes de goma» y los «pequeños dolores ilesos» que «se acercan a los hospitales». «La arquitectura de escarcha», «las liras y gemidos» que «se apagaban en el negro de los sombreros de copa» de los acompañantes. «Las barcas de nieve» (semejantes a la barca de Caronte) «que acechan un hombre de agua que las ahogue» y la desesperación de «tres mil judíos» que «lloraban en el espanto de las galerías / porque reunían entre todos con esfuerzo media paloma». El poeta ha mezclado en esta única muerte diferentes perspectivas de este suceso, siguiendo la técnica empleada en el resto del poemario. El plano real del entierro, donde «el judío ocupó su litera», entre las «cúpulas humedecidas» y «las blancas entradas de mármol», se une a la significación espiritual de esta muerte, ya que entre todo el pueblo judío sólo lograban reunir «con esfuerzo» «media paloma». También aparece el mundo de ultratumba, en el que «todo el cementerio era una queja / de bocas de cartón y trapo seco». Como sucedía con el tema de «La ciudad», o al presentar la figura de «El poeta», también aquí se entrelazan distintos puntos de vista de una misma realidad. El tema de la muerte, tratado bajo diferentes enfoques, como vimos en la sección anterior.

«CRUCIFIXIÓN»

En esta composición aparece de nuevo la temática religiosa, presente en otras muchas creaciones del poemario, como «Iglesia abandonada», «Navidad en el Hudson», «Nacimiento de Cristo», «Grito hacia Roma», «Vaca» y «Nueva York (Oficina y denuncia)». El poeta establece en sus versos una relación entre la muerte de Cristo y la situación amorosa del protagonista poético, existente también en algunas otras de las creaciones citadas, como «Iglesia abandonada» y «Nueva York (Oficina y denuncia)». En el primer poema, esta vinculación se realiza a través de la muerte del hijo añorado por el protagonista, como ya vimos, mientras en el segundo, se establece por la faceta solidaria del poeta, que se ofrece a morir por amor para salvar la «otra mitad» que le «escucha». Sin embargo, en «Crucifixión» este paralelismo tiene lugar de modo semejante a como sucede en *El público*, donde el «Desnudo Rojo», de claras connotaciones cristológicas, es una proyección de la muerte por amor del Hombre 1. Los versos de «Crucifixión» también recogen este doble plano, explícito desde el comienzo del poema. Por un lado, se muestra la destrucción de la pasión amorosa del protagonista, representada por un caballo herido por la luna (que «quemaba con sus bujías el falo de los caballos»). Y por otro, aparece la muerte de Cristo, mucho más evidente en el poema a través de numerosas alusiones al relato evangélico. «Un rayo de luz violenta que se escapaba de la herida», «las tres santas mujeres» con el «sastre» confeccionador del sudario de «púrpura», «el camello» que «tenía que pasar sin remedio por el ojo de una aguja», la «cruz», los «clavos», la «espina», «la gran voz», «los fariseos», la «tarde» que «se puso turbia» mientras se conocía «el momento preciso de la salvación de nuestra vida». Y «entonces» «la tierra despertó arrojando temblorosos ríos de polilla». El poeta realiza una minuciosa descripción de ese «momento», de modo semejante a cómo había referido los elementos esenciales del «Nacimiento de Cristo». Sin embargo, «Crucifixión» es un poema mucho más complejo, ya que a la relación entre la muerte de la pasión amorosa del protagonista y la Crucifixión de Cristo se une la figura de la «vaca», animal sagrado dedicado igualmente al sacrificio. Esto explica su conexión con el poema «Vaca», y el hecho de que en «Crucifixión» los fariseos escupieron «la sal de los sacrificios». A la vez, se establece un paralelismo entre «la sangre» de Cristo, que «bajaba por el monte» y «por las calles decidida a mojar el corazón», y la «leche» benefactora de este animal. A este triple sacrificio se opone la actitud de los «fariseos». Ésta es denunciada también implícitamente en «Grito hacia Roma» y en la «Oda a Walt Whitman» dentro de un plano amoroso, así como en su obra *El público,* a través del hipócrita «teatro al aire libre». En «Crucifixión» se reúnen, por tanto, varios de los aspectos esenciales de este poemario, evidenciando una vez más la gran coherencia interna de estas creaciones.

SECCIÓN VIII

«DOS ODAS»

Este apartado contiene dos composiciones en las que el protagonista expone, de modo tal vez más directo que en cualquiera otra de sus creaciones neoyorquinas, sus reflexiones sobre el amor. Este tema, esencial dentro del poemario, es enfocado desde una perspectiva individual en «Oda a Walt Whitman», y desde un punto de vista colectivo en «Grito hacia Roma», como denuncia a la falta de solidaridad humana. En ambas, el poeta propone un ejemplo positivo como contrapunto a la falsedad en la vivencia de este sentimiento: la figura de Walt Whitman, en la primera, y la palabra evangélica, en la segunda. El poeta sintetiza así algunas de las ideas fundamentales de estas creaciones, y de su propio pensamiento como individuo.

«GRITO HACIA ROMA»

En esta composición el poeta contrapone la actitud insolidaria de la Iglesia (representada por «la gran cúpula» de Roma y «el hombre vestido de blanco») al auténtico amor, derivado del sufrimiento humano. «Debajo de las estatuas no hay amor, / no hay amor bajo los ojos de cristal definitivo. / El amor está en las carnes desgarradas por la sed, / y en la choza diminuta que lucha con la inundación», «en los fosos donde luchan las sierpes del hambre, / en el triste mar que mece los cadáveres de las gaviotas / y en el oscurísimo beso punzante debajo de las almohadas». Por haber mantenido esta actitud, «ya no hay quien reparta el pan y el vino». «No hay más que un millón de carpinteros / que hacen ataúdes sin cruz», porque «el hombre vestido de blanco / ignora el misterio de la espiga, / ignora el sufrimiento de la parturienta, / ignora que Cristo pueda dar agua todavía». (Esta misma agua aparece en el poema «Crucifixión», donde bajaba «por las calles decidi-

da a mojar el corazón»). Ante esta actitud, aludida en el título desechado de «Oda de la Injusticia» (y tal vez denunciada por Lorca ante los
pactos de Letrán entre Mussolini y el Vaticano) los seres que están so-
metidos («los negros que sacan las escupideras», «los muchachos que
tiemblan bajo el terror pálido de los directores», «las mujeres ahogadas
en aceites minerales») han «de gritar frente a las cúpulas». «Porque
queremos el pan nuestro de cada día». «Porque queremos que se cumpla la voluntad de la Tierra / que da sus frutos para todos». El poeta
se siente parte de esa humanidad doliente a través de su voz solidaria,
expresada en primera persona del plural («queremos»). «La muchedumbre de martillo, de violín, o de nube», es decir, los que realizan un
trabajo manual, los artistas, y los soñadores, todos, han de unirse para
reclamar el mundo solidario que les corresponde, según el mensaje de
Cristo, que da «el pan nuestro de cada día». Una vez más, se unen en
una única composición varias perspectivas: la situación personal del
protagonista, el sufrimiento del resto de la humanidad, y la realidad de
un hecho concreto, en este caso, una determinada actuación de la Iglesia católica, subrayada por la ilustración fotográfica de «El Papa con
plumas» que acompaña el poema.

«ODA A WALT WHITMAN»

En esta composición el poeta hace una alabanza de Walt Whitman,
señalada por el título del poema («Oda») y por la ilustración fotográfica («Fotomontaje de la cabeza de Walt Whitman con la barba llena de
mariposas») que lo acompaña. Su figura representa la autenticidad en
el amor —«Soñabas ser un río y dormir como un río / con aquel camarada que pondría en tu pecho / un pequeño dolor de ignorante leopardo»—frente a la hipocresía y engaño de «los maricas». La «hermosura viril» de Walt Whtiman se contrapone a los «¡Maricas de todo el
mundo, asesinos de palomas!», que son «Esclavos de la mujer» y «Perras de sus tocadores» porque quieren imitarlas. Frente a ellos, la actitud de Whitman, que buscaba «un desnudo que fuera como un río»,
aunque, a la vez, fuese «padre de tu agonía, camelia de tu muerte, /
y gimiera en las llamas de tu ecuador oculto». El poeta norteamericano
encarna en esta composición la defensa del amor contra la actuación
de los maricas, «Enemigos sin sueño / del Amor que reparte coronas
de alegría». El protagonista manifiesta la legitimidad del ser humano
para escoger su sentimiento amoroso. «Porque es justo que el hombre
no busque su deleite / en la selva de sangre de la mañana próxima. /
El cielo tiene playas donde evitar la vida / y hay cuerpos que no deben
repetirse en la aurora».

Esta defensa de la libertad y autenticidad en el amor se contrapone en el poema a la visión de la ciudad neoyorquina como lugar de desamor. «Nueva York de alambre y de muerte». «¿Qué voz perfecta dirá las verdades del trigo? / ¿Quién el sueño terrible de tus anémonas manchadas?». De ahí, que al final de la composición, el poeta una su alabanza de Walt Whitman (e implícitamente de la propia actitud del protagonista) con su deseo de que el amor y solidaridad entre los seres humanos llegue a la ciudad de Nueva York. «Y un niño negro anuncie a los blancos del oro / la llegada del reino de la espiga». De nuevo, la conexión de varias perspectivas en un único poema, que parece ser por su contenido y su cronología (escrito el 15 de junio de 1930) el legado último de Lorca en estas creaciones, escrito fuera de España.

SECCIÓN IX

«HUIDA DE NUEVA YORK»

Las dos composiciones de esta sección aluden al problema amoroso del protagonista poético, utilizando la forma musical del vals. Sus versos tratan de imitar el ritmo de la música mediante el uso de estribillos. Sin embargo, el vals que se presenta en estas creaciones es el producido por un «violín de papel», una «muerte para piano», en la que van unidos «violín y sepulcro». A pesar de estas connotaciones negativas, el autor las integra en una sección jubilosa (dentro de la «estructura externa» de la obra) en la que el poeta huye de Nueva York. El significado primero del vals, como exponente de la civilización europea («Pequeño vals vienés») prima sobre el contenido negativo de sus versos. De ahí, la ilustración fotográfica que precede la sección, la titulada «El mar».

«PEQUEÑO VALS VIENÉS»

En esta creación el poeta vuelve a referirse a su sentimiento amoroso, plasmado en este vals del «Te quiero siempre». Mediante esta forma musical (subrayada en la composición por la marcada presencia de un estribillo) el protagonista alude a su experiencia amorosa, siendo mucho más explícito en la versión del poema de la revista *1616*, que en la recogida por Norton y Séneca. [Este proceso de suplantar versos demasiado evidentes por otros más enigmáticos es una tendencia constante en las versiones posteriores de estos poemas]. Las ediciones de 1940 recogen la expresión de este sentimiento. «Te quiero, te quiero, te quiero, / con la butaca y el libro muerto, / por el melancólico pasillo, / en el oscuro desván del lirio, / en nuestra cama de la luna / y en la danza que sueña la tortuga». Sin embargo, en la versión de *1616*, el poeta profundiza más en el matiz negativo que envuelve esta viven-

275

cia. Habla de «el racimo de lágrimas de mi vieja vida» (que suplantaría al verso «por los rumores de la tarde tibia»). También menciona los «helados ruiseñores» y «el calor de un quebrado desnudo / repartido por colchas y juncos», que el protagonista ofrece a la persona amada en los versos siguientes al estribillo, «Toma este vals de quebrada cintura» (convertido en la versión de *1616* en «dolida cintura»). En las ediciones de 1940, el protagonista relaciona este sentimiento amoroso con la infancia, queriendo trasladarlo al tiempo inalterable de la niñez, al igual que sucedía en otras creaciones de este poemario como «Tu infancia en Menton». «Porque te quiero, te quiero, amor mío, / en el desván donde juegan los niños, / soñando viejas luces de Hungría». En estas ediciones y en la de *1616* el poeta define esta composición como «Muerte para piano», escribiendo con mayúscula la palabra muerte en la de *1616*. Sin embargo, a pesar de ser este poema «Violín y sepulcro», expresión del carácter no jubiloso de su amor, el protagonista quiere atraer a la persona amada. «Mira qué orillas tengo de jacintos! / Dejaré mi boca entre tus piernas, / mi alma en fotografías y azucenas, / y en las ondas oscuras de tu andar quiero, amor mío, dejar / violín y sepulcro, las cintas del vals».

«VALS EN LAS RAMAS»

Este poema tiene como fondo un estado de ánimo semejante al de la composición anterior. También aquí se habla de «un violín de papel» y de unas «ramas desgajadas», que se «irán bailando» cuando el cielo sea «para el viento / duro como una pared». El ritmo musical que se desprende de su título se integra en el poema mediante un estribillo (al igual que en la creación anterior) y también por medio de una rápida enumeración de elementos al comienzo de sus versos. El estribillo («cayó una hoja. / Y dos. / Y tres», «Una a una, / dos a dos / y tres a tres») recuerda el utilizado en «Fábula y rueda de los tres amigos» («Uno / y uno / y uno», «Tres / y dos / y uno»). Sin embargo, la rápida enumeración de elementos nos lleva al poema «Muerte», donde un juego de palabras, igualmente rápido, termina en este concepto: «Pero el arco de yeso, / ¡y qué grande, qué invisible, qué diminuto! sin esfuerzo». En «Vals en las ramas» la enumeración concluye de modo similar, al quebrarse el ritmo con unos versos encabezados por esta misma partícula adversativa: «Pero el ruiseñor / lloraba sus heridas alrededor. / Y yo también». Este ruiseñor, símbolo de una muerte de amor en García Lorca, como podemos ver en *El público* y en muchas otras creaciones del autor, nos lleva al trasfondo de la composición apareciendo también en el poema anterior «Pequeño vals vienés» («ruiseñores helados») y en una de las composiciones más intimistas del conjunto «Tu infancia en Menton», donde el poeta habla del «ruiseñor enajenado». En «Vals en las ramas» aparece un ruiseñor herido, que enlaza con la imagen del «pez luna», símbolo también del amor en el poeta («Por la luna nadaba el pez») y con los versos «¡Oh duro marfil de carnes invisibles! / ¡Oh golfo sin hormigas del amanecer!». El mismo tema del amor, presente en todo el poemario, se reviste en estas dos últimas creaciones de un sentido musical, adquiriendo la forma de una «Muerte para piano», como afirmaba el autor en la composición precedente.

SECCIÓN X

«EL POETA LLEGA A LA HABANA»

Este apartado contiene un único poema, «Son de negros en Cuba», tal vez el más jubiloso de todo el conjunto. En sus versos, el protagonista recoge numerosos elementos de la realidad cubana, a la vez que intenta imitar el ritmo de su música. El escenario caribeño se opone así a la soledad mostrada por el poeta en Nueva York y Vermont (como expresan los títulos de las secciones I y VI) donde el protagonista encontró las vías idóneas para manifestar su angustia. Sin embargo, la cronología de este poema no se corresponde con el lugar que ocupa en la obra, ya que dos meses más tarde el autor escribiría «Oda a Walt Whitman», síntesis última de su experiencia en América, escrita fuera de España.

En esta composición, el poeta trata de imitar los ritmos negrocubanos mediante la repetición continua del estribillo «Iré a Santiago». Sus versos están llenos de elementos referenciales, procedentes de la geografía caribeña. «Los techos de palmera», el «ritmo de semillas secas» de sus instrumentos musicales, la «cintura caliente» de los bailarines, la «gota de madera» de las plantaciones de caucho, el «arpa de troncos vivos» de las cañas de azúcar, el «caimán», la «flor de tabaco», la representación del tabaco ya elaborado en «la rubia cabeza de Fonseca», etc. Sin embargo, frente a esta expresión de júbilo, también está presente el trasfondo dolorido del protagonista que habla de su sentimiento («mi coral en la tiniebla») junto a un «mar ahogado en la arena» y al «calor blanco, fruta muerta» del entorno. No obstante, Cuba es para el poeta un escenario esencialmente positivo. La letra inicial de su nombre es una «curva de suspiro y barro», donde el protagonista desea olvidar sus angustias pasadas.

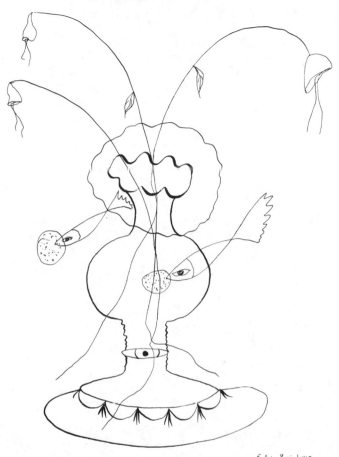

Federico García Lorca

Colección Letras Hispánicas